Les charmes discrets de Béatrix

EMMA
HOLLY

Les charmes discrets de Béatrix

ROMAN

Traduit de l'américain
par Adèle Dryss

Titre original
PERSONAL ASSETS

A Berkley Book published by The Berkley Publishing Group,
a division of Penguin Group (USA) Inc., New York

À Alice Countryman, sincère, loyale amie des hommes et des bêtes.
Puissent tes histoires être aussi vraies que toi.

Remerciements particuliers à Nita Abrams et à quatre villes magnifiques.

Meilleurs amis

Le magasin se trouvait rue du Faubourg-Saint-Honoré, blotti entre Givenchy et Hermès. Il s'appelait *Meilleurs Amis,* et quiconque portait une queue-de-pie à l'occasion comptait parmi ses clients. Aucune autre boutique de l'illustre capitale française n'attirait autant de curieux depuis son ouverture.

Une lueur particulière émanait de la vitrine incurvée style Belle Époque, une lueur si indéfinie qu'elle pouvait évoquer un parfum. Senteurs d'épices et de fleurs, de pain chaud et de chocolat fondu. Une vraie poésie imprégnait les lieux mais ce qui en faisait un endroit d'exception, c'était cette envie inaltérable de savoir ce qui se cachait derrière cette vitre arrondie dès que l'on s'en approchait. Le charme indéfinissable de la robe en velours ? Le superbe collier de diamants ? Le délicat peigne ancien avec miroir assorti ?

Sophie Clouet, la fondatrice de *Meilleurs Amis*, n'était pas une styliste mais une collectionneuse. Selon les connaisseurs, sa fille Evangeline, la cadette des Clouet, avait encore meilleur goût que la mère. Hélas, elle n'exprimait qu'une passion très modérée pour la tradition familiale. Sans l'ineffable Philip Carmichael, le veuf d'Evangeline, la boutique aurait été vendue à des étrangers. Mais il semblait en avoir pris les rênes. En tout cas, c'est ce que l'on pensait.

Il avait apporté une qualité nouvelle à l'affaire : une véritable convivialité.

À présent, les visiteurs ne se contentaient plus de regarder, ils entraient. La plupart ne pouvaient s'offrir le moindre sac perlé, et ceux qui en avaient les moyens n'en avaient pas besoin. Mais *Meilleurs Amis* ne répondait pas au besoin, il s'adressait au désir. Qui pouvait résister quand les vendeuses souriaient si joliment ? Quand elles acceptaient les chaussures râpées ou la coupe de cheveux ordinaire de certains clients ? Une telle tolérance à l'égard du « commun » était sans précédent dans le monde de la haute couture. Quant au magasin lui-même, il suffisait à une femme d'y pénétrer pour se sentir apaisée. Certaines restaient en admiration devant les moulures du plafond, d'autres devant le moelleux du tapis persan ou l'immense variété des modèles de lingerie exposés au fond de toutes les boutiques *Meilleurs Amis* de par le monde.

Et puis, une fois à l'intérieur, on se remémorait les histoires qui avaient marqué les lieux. L'aventure de Sophie avec ce membre de la famille royale russe. Celle du célèbre danseur qui avait troussé sa Gisèle dans le salon d'essayage, la faisant crier si fort de plaisir que les vendeurs de chez Givenchy avaient accouru. Ou encore, et surtout, les frasques d'Evangeline : ses soirées dissolues, ses amants libertins, autant d'excès couronnés par un mariage avec un jeune styliste de vingt ans de moins qu'elle.

Que ferait Philip maintenant qu'elle avait disparu – et si dramatiquement ! Nul ne le savait.

Quels que soient ses projets, en tout cas, le magasin demeurait aussi enchanteur qu'auparavant. La marque elle-même détenait le pouvoir de parer de charme qui s'en prévalait, ne serait-ce qu'en chuchotant son nom : *Meilleurs Amis.* Les mots évoquaient immédiatement Paris, Londres, Rome, New York, et les lettres magiques écrites sur un ruban d'or. Bien sûr, il y avait d'autres *Meilleurs Amis* à Moscou, à La Nouvelle-Orléans, à Tokyo, San Francisco. On parlait même d'un projet d'ouverture à Pékin. Mais ces villes ne comptaient pas. Paris, Londres, Rome et New York suffisaient à son prestige. Immédiatement on y associait le style, l'envie de se faire plaisir, la sensualité, le pouvoir.

Aucune femme digne de ce nom ne pouvait y résister.

Paris

1

Béatrix Clouet s'arrêta sur le seuil, le cœur serré. L'homme assis derrière le bureau de sa mère en bois de tulipier était tellement beau que c'en était presque insupportable. Même *Le Baiser* de Rodin faisait pâle figure à côté de lui, ou les espaces paysagers en fleurs au printemps, au pied des Champs-Élysées. Il éclipsait complètement les mannequins minces comme des fils qu'il avait l'habitude d'habiller. Sa beauté ne devait rien au maquillage, aux éclairages flatteurs ou au talent des photographes. Comme de la poudre magique, elle irradiait de son teint pâle d'Anglais, de ses cheveux blonds et souples, de ses mains, de ses hanches, de ses yeux gris et doux. Philip Carmichael était magnifique aussi bien à l'intérieur qu'à l'extérieur. Son sourire éclairait une pièce. Sa générosité éblouissait.

Et Béatrix le haïssait de tout son cœur.

Toutefois, elle demeura figée sur place. C'était fou de constater à quel point la présence d'un homme pouvait tout changer ! Six mois plus tôt, la pièce était froide et impeccable, une salle d'audience pour une reine dont la ruche remplissait deux étages d'une tour de La Défense. À la différence du reste de Paris, La Défense n'était pas le bastion du confort et du charme d'antan. Non. Ce Manhattan en bord de Seine n'était que modernité, acier et hauteur, le décor idéal pour se lancer dans le XXIe siècle, proclamait sa mère. Sous le bureau design, le sol en marbre ressemblait à une plaque de glace. Le miroir noir du plafond impressionnait. Tout de métal, de bois et de verre, le mobilier était minimaliste et d'une élégance rigide. Même la vue sur la tour Eiffel, l'Arc de Triomphe et les dômes blancs du Sacré-Cœur ne parvenaient pas à réchauffer l'ensemble. Les immenses baies vitrées inspiraient une sorte d'admiration respectueuse plus incertaine qu'agréable.

Rien n'avait changé. Pourtant, avec Philip à la barre, l'odeur même de la pièce invitait les visiteurs à entrer. Un joyeux désordre encombrait la table de conférence : dessins de mode, pommes de variétés diverses, une chaussure de footing usagée. Un énorme bouquet de tulipes rouges et jaunes occupait une large partie du panneau de verre.

Et puis, il y avait Philip qui ne parvenait pas à avoir l'air imposant, malgré son costume noir d'allure solennelle et ses cheveux blonds sévèrement plaqués en arrière. Il les portait longs pour un P-DG, mais dans le domaine de la mode, cela ne choquait personne. La tignasse décolorée par le soleil qu'il rejetait en arrière d'un geste de la tête lorsqu'il riait n'était plus qu'un souvenir, hélas. À l'époque, il était jeune et sans responsabilités. Pauvre, bien sûr. Un amant insatiable qui croyait encore à ses rêves. Mais rêver d'atteindre les sommets n'en faisait pas partie.

À présent, il cherchait des dessins qui n'étaient pas de lui pour une vente de charité. Ses lèvres fermes et bien dessinées se crispaient sous l'effet de la concentration. Ses mains étaient harmonieuses, et leur manucure parfaite dissimulait le fait qu'il se rongeait les ongles. Pauvre Philip. Il avait été un bon styliste, pas brillant mais plein de subtilité. Ses vêtements étaient portables et seyants, mais il aurait mieux fait de ne pas tenter de conquérir le cercle très réduit de la haute couture. Son seul et unique défilé avait été un échec total. *Elle* l'avait qualifié d'insipide. Le *Women's Wear Daily* d'ennuyeux. Quant aux dames de la haute société, leurs coups de griffes avaient été encore plus acérés.

Mais il était dangereux d'avoir de la pitié pour Philip, car elle menaçait le mur que Béatrix avait érigé patiemment autour de son cœur. La jeune femme se racla la gorge et se prépara à affronter son regard splendide. Il leva les yeux.

— Salut, Béa, dit-il en penchant la tête, le sourire incertain, l'air de se préparer à toutes les offenses qu'elle lui réserverait probablement.

— Hello, Phil, répondit-elle, sachant que ce surnom l'énervait.

Il tressaillit imperceptiblement, puis lui montra le fauteuil de cuir noir où elle s'assit. Un plateau de thé à l'anglaise occupait un coin du bureau. Toujours très gentleman, il lui versa une tasse de Darjeeling, le préféré de Béatrix. Elle accepta un scone encore chaud, le tartina de confiture et s'adossa dans son siège.

Elle portait un nouvel ensemble marron composé d'une veste ample et d'un caleçon qui dénotait davantage une recherche de confort qu'un souci d'esthétique, mais Béa n'était pas le genre de fille à plaisanter avec le bien-être. Elle croisa les jambes, même si elle savait que ses mollets robustes ne risquaient pas d'attirer le regard d'un homme, encore moins de celui-là. Des cheveux noirs frisés, des taches de rousseur et une silhouette plutôt généreuse ne risquaient pas d'impressionner un habitué des défilés de mode. Elle n'avait même pas de style particulier. Elle était présentable, rien de plus, car elle avait grandi à Paris et en avait tout de même retiré quelque profit. Béatrix Clouet ne se faisait aucune illusion sur son physique.

— Alors, dit-elle, son assiette en équilibre sur ses genoux. Pourquoi m'as-tu fait venir ici ? M'aurait-on surprise en ville avec un chemisier qui sortait de ma jupe ?

— Béa.

Le ton était affectueusement indulgent. Celui du beau-père idéal, vraiment. Le seul problème étant que le beau-père en question avait à peine cinq ans de plus qu'elle. Il écarta ses longs doigts sur la surface du bureau. Leur vue fit courir en elle une onde subtile.

— Tu sais que j'ai renoncé à te donner des conseils vestimentaires, reprit-il. Je dois dire, cependant, que ce ton de brun que tu portes n'est pas vraiment…

— Phil.

Cette interruption le fit sourire, et l'attention de Béa se fixa sur les lèvres satinées, légèrement rosées, puis sur la fossette qui se creusait dans sa joue gauche. Elle serra les poings. Il faut que je sorte d'ici avant de fondre sur place, se dit-elle. Ce béguin l'avait suffisamment déstabilisée quand elle avait quinze ans. Aujourd'hui, il était intolérable.

Il fronça soudain les sourcils.

— Béa, tu as perdu du poids ?

À son grand dam, elle se sentit rougir.

— Je suis allée travailler à bicyclette ces temps-ci.

— Depuis Montmartre ! Au milieu des voitures ? Tu es folle !

— Non, dit-elle en reposant sa tasse. Si je me souviens bien, j'ai vingt-trois ans, je suis une adulte et donc parfaitement capable de décider comment me rendre d'un endroit à un autre.

— Mais, Béa, ta mère voulait que je veille sur toi.

— *Pouliiizzze…* répliqua-t-elle en imitant la façon dont sa meilleure amie américaine prononçait *please*. Maman se moquait éperdument que je me fiche en l'air. En fait, ça l'aurait arrangée.

— Quelle horreur de dire des choses pareilles ! Et fausses, en plus.

— Vraiment ? Tu sais comment les vendeuses l'appelaient ? La reine des punaises. Elle adorait que les gens fassent des erreurs, parce que cela lui permettait de les mettre plus bas que terre.

— Ta mère était une visionnaire.

Béa ne tenta pas de réprimer la colère que cette réflexion suscita en elle. Elle se leva, s'assit sur le coin du bureau et pointa un doigt sur sa chemise bleu marine.

— Ma mère était une visionnaire occasionnelle. Le reste du temps, c'était une garce acharnée. Les gens ne l'écoutaient pas parce qu'elle avait raison. Ils l'écoutaient parce qu'elle s'appelait Evangeline Clouet, qu'elle était belle et riche, et que grâce à une volonté de fer, elle avait réussi à consolider le petit empire florissant de grand-mère. Je sais qu'il t'est difficile de reconnaître à quel point elle pouvait être égoïste, snob et superficielle. L'admettre te conforterait dans cette image d'homme-objet que tout le monde te prêtait. Mais il serait temps d'ouvrir les yeux, mon cher. Maman t'a épousé pour ta belle gueule et pour ta queue de vingt ans dure comme le roc ! Elle t'a épousé pour rendre ses rivales jalouses. Le fait que tu aies un cerveau sous ta belle frimousse était totalement secondaire.

Deux plaques rouges colorèrent le teint pâle de Philip.

— Je ne m'étais pas rendu compte que tu avais une aussi piètre opinion de moi, dit-il avec raideur.

— Ne sois pas stupide. J'avais une opinion de toi dix fois plus haute que celle de maman.

Philip agrippa le bord du bureau comme s'il s'apprêtait à le broyer.

— Mon Dieu, je déteste t'entendre dire ça !

Qu'est-ce qui lui prit alors ? Comment l'expliquer ? Était-ce à cause de ces huit années passées à cacher ses sentiments ? À endurer sa gentillesse toute paternelle ? À respirer son odeur ? À calquer son visage sur ceux de tous ses amants sans relief? Quelles que soient ses raisons, elle avait atteint un point de non-retour. Elle attrapa les revers de sa veste, le souleva de son fauteuil et plaqua sa bouche sur la sienne.

Il eut une exclamation de surprise, ce genre de petit hoquet idiot très british. Elle relâcha sa prise tout en immisçant sa langue entre ses lèvres. Le bruit qu'il émit alors n'avait plus rien de surpris, d'idiot ou de « british ». Non, c'était une plainte sourde et rauque. Frissonnante, elle se rendit compte qu'il était excité. Il pencha la tête et s'offrit sans réserve à son baiser.

Un gémissement échappa à la jeune femme quand il enfouit les doigts dans ses cheveux bouclés. Il s'enhardissait, s'enflammait comme s'il se délectait de plus en plus. Puis il lécha, aspira sa bouche avec une sensualité brûlante, comme il aurait pu le faire... au cœur de sa féminité.

Une vague fiévreuse l'enveloppa. Des palpitations embrasaient le creux de son ventre. Elle avait besoin de le toucher, de le sentir contre elle. Elle s'agrippa à ses épaules et écarta les jambes de façon à attirer ses hanches étroites entre ses cuisses. Tremblant d'ardeur contenue, il la renversa sur le bureau en appuyant son sexe contre le sien.

Elle sentait son érection à travers son pantalon. Seigneur, que c'était bon... Éperdue, elle enfonça ses ongles au bas de son dos, puis dans ses fesses dures.

— Dieu du ciel, murmura-t-il en s'écartant un peu afin de respirer.

Il l'observa, scrutant son regard de ses yeux brillants.

Maintenant il va s'arrêter, pensa-t-elle. Il va me dire que j'ai perdu la tête.

Mais il n'en fit rien. Les joues rouges comme un adolescent, il approcha son visage du sien. Leurs souffles se mêlèrent et leurs bouches se happèrent en un baiser encore plus fougueux que le premier. Un baiser d'affamés. Mouillé. Bruyant. Il avait glissé une main sous sa chemise, et maintenant cette main palpait son buste. Sa peau nue. Le soutien-gorge céda et la main se referma sur un sein. Et pendant que ses doigts pinçaient un téton, ses lèvres se perdaient dans le cou de Béa.

Un plaisir inouï l'envahit. Il la désirait ! Et comment ! Béatrix perdit le peu de contrôle qui lui restait. Elle tira la chemise de son pantalon, batailla avec sa ceinture. Il lui vint en aide, descendit lui-même la fermeture Éclair, lui prit la main et la mit dans sa braguette. Elle fouilla dans du coton d'Égypte, et sentit enfin son sexe. Saisit cette superbe érection. Si chaude qu'une onde de feu la foudroya.

Il émit un cri de bonheur et elle rit. D'un rire qu'elle ne reconnut pas, un rire de gorge, profond et triomphant. Il lui pressa la main pour l'encourager et elle ne résista pas. Elle avait tellement envie de toucher cette peau de satin, de la faire rouler de haut en bas, de bas en haut. Depuis les petites boucles douces jusqu'au sommet légèrement élargi.

Cette exploration le rendait impatient. De nouveau il la guida, plus fermement, plus fort, plus vite, à tel point qu'elle eut peur de lui faire mal. Mais non, cela semblait le rendre fou. Son baiser s'enflamma. Elle mit un certain temps à s'apercevoir qu'il murmurait des mots contre sa bouche et à les comprendre.

— Baise-moi… baise-moi, Béa. Baise-moi.

Elle serra son sexe si fort qu'il retint son souffle.

Il s'écarta, les lèvres rouges et humides, les pupilles tellement dilatées que l'on ne voyait plus l'iris. Puis son regard s'éclaira tandis qu'il la contemplait, le chemisier ouvert, les seins offerts, nus, aux pointes tendues.

— Bon sang, jeta-t-il, fasciné.

C'est alors qu'un bruit de pas se fit entendre dans le couloir. Un bruit de talons hauts, plus précisément. Qui approchaient rapidement de la porte… restée ouverte.

— Cache-toi, murmura-t-il en retrouvant ses esprits et en la poussant sous le bureau.

Heureusement, il y avait assez d'espace. Béatrix se tapit contre la paroi. L'instant d'après, Philip était assis dans son fauteuil, qu'il fit rouler le plus près possible du bureau pour cacher ses vêtements à moitié ouverts. Il n'eut pas le temps de remonter la fermeture Éclair que sa secrétaire arrivait.

— Monsieur Carmichael ? M. Renard est là. Il avait rendez-vous à seize heures.

Philip se racla la gorge.

— Euh, oui… Bonjour, Alain.

Alain, le comptable de la société, traversa la pièce d'un pas vif et s'installa dans le fauteuil que Béatrix occupait quelques instants plus tôt. Elle l'entendit déposer des papiers sur le bureau.

— J'ai apporté les chiffres du magasin de New York, dit-il. J'ai pensé que tu aimerais les regarder.

Il s'interrompit brièvement avant d'ajouter :

— Ça va, Philip ? Tu es tout rouge.

Amusée, Béatrix remua légèrement, ce que Philip dut sentir puisque ses jambes étaient écartées de part et d'autre d'elle. Il les serra brièvement, en guise d'avertissement.

— Euh, je faisais des abdominaux. On se ramollit quand on passe trop de temps assis derrière son bureau.

— J'aimerais voir ça ! répondit Alain.

Pour ce qui était de voir, les yeux de Béatrix s'étant habitués à l'obscurité, elle distinguait clairement que l'érection de Philip n'avait en rien faibli. Elle lui mordit la cuisse pour réprimer une violente envie de rire. Il glissa aussitôt une main sous le bureau et lui tapota l'oreille en guise de punition.

— Si tu me lisais ce rapport ? Je garde mes questions pour la fin, promis.

Béatrix n'était pas aussi familiarisée avec les chiffres que Philip, mais elle avait souvent entendu sa mère se plaindre des interminables développements d'Alain. Qui sait combien de temps ceux-ci dureraient ? Combien de temps Philip resterait ainsi coincé, le pantalon ouvert, brûlant de finir ce qu'ils avaient commencé ?

Comment résister à une telle tentation ?

Elle se lécha les lèvres et ses doigts remontèrent lentement le long de ses mollets. Il tressaillit. Devinant la nature de ses intentions, il lui pinça l'oreille. Ignorant la brève douleur qui s'ensuivit, elle happa son pouce et le suça doucement, savamment : une manière éloquente de lui faire savoir qu'elle appliquerait volontiers le même traitement au pénis qu'il lui offrait.

Il serra les jambes, lui comprimant les seins.

— Mmm, mmm, fit-il à un commentaire d'Alain.

Ce n'était qu'un début, se dit Béatrix en lâchant son pouce pour approcher sa bouche de son sexe palpitant d'excitation. Son ardeur ne faisait aucun doute, son corps exprimait clairement ce que sa voix s'efforçait de cacher. Tendu à l'extrême, soulevé vers elle par l'élastique du caleçon, il exprimait la virilité dans toute sa splendeur. Admirative, Béatrix se perdit un instant dans cette contemplation, respirant doucement contre la peau si fine. Cette infime stimulation acheva de le perdre. Ses hanches s'arcboutèrent vers elle.

Était-ce une sorte de permission ? Elle passa la langue sur ses testicules et l'entendit retenir son souffle. Alors elle s'enhardit et se mit à le lécher. Contractant les fessiers à chaque coup de langue, il glissa une main à la base de son sexe pour mieux le lui offrir. Au bout de quelques instants de ces délices secrètes, il lui prit carrément le visage pour la guider dans cette exploration qui semblait lui plaire énormément.

Sa langue se promenait maintenant le long de sa verge dont elle se délecta avec une volupté féline. Quand elle se concentra là où perlait l'élixir du plaisir, il sursauta et immisça sa main dans ses cheveux. Elle crut qu'il allait l'écarter, et sans doute en avait-il l'intention, mais il ne put s'y résoudre. Au contraire, il lui maintint la tête pour qu'elle poursuive sa délicieuse torture.

Elle s'y employa, refrénant son envie de le prendre dans sa bouche. Non, elle voulait prolonger le supplice, sentir sa résistance fondre peu à peu. Jusqu'à ce qu'il se livre à elle. Ce qui arriva. Alors elle franchit le pas et le prit tout entier dans sa bouche. Une sensation merveilleuse qui diffusa une douce brûlure entre ses jambes. Et plus elle aspirait, relâchait, revenait, plus le désir qu'elle lui insufflait la contaminait.

Une fille comme elle, ni jolie ni mince, devait compenser ses désavantages par d'autres talents. Et celui-là, elle l'avait incontestablement. Elle adorait s'y adonner, parfois encore plus qu'à l'acte d'amour lui-même. C'était son truc à elle et Philip y succomberait.

La voix d'Alain lui parvenait comme de très loin. Philip toussa pour masquer un grognement lascif. Se rappelant combien il avait aimé ses caresses, elle resserra la pression de ses lèvres, le taquinant en même temps avec sa main.

— Non, murmura-t-il soudain en baissant la tête.

Visiblement désorienté, le comptable posa une question quelconque, mais elle ne s'arrêta pas pour autant. Elle voulait réduire Philip à son pouvoir. Devant Alain. Devant le monde entier. Alors elle glissa une main sous ses testicules et, du majeur, frotta la zone sensible, douce et gonflée du périnée.

C'était trop pour lui. Il lui saisit les cheveux pour la tirer en arrière, mais il n'agit pas assez vite. Ou bien elle aspira plus fort, pour l'en empêcher. Toujours est-il qu'il se tendit encore plus et au lieu d'aller au bout de son geste, il la ramena vers lui. Le moment était venu ! Maintenant, songea-t-elle. *Maintenant.* Elle l'entendit jurer dans sa barbe. Le sentit donner un coup de reins. Alors elle le malaxa entre ses mains en suçant encore plus fort, plus fort… jusqu'à ce qu'il jouisse dans sa bouche.

Jamais Béatrix n'avait éprouvé une telle satisfaction à donner du plaisir. Son orgasme l'emplissait de joie. Et il se prolongea, se prolongea jusqu'à ce qu'il ne puisse plus contrôler sa respiration.

Quelque chose cogna le bureau au-dessus de sa tête. Son coude, peut-être ? Alain émit une exclamation apeurée.

— Désolé, dit Philip tandis que les pulsations de son plaisir achevaient de se déverser dans la bouche de Béatrix. C'est cette satanée… cette satanée migraine. Nous… finirons plus tard.

Le comptable devait être sorti, car elle entendit Philip pousser un long gémissement tout en se laissant retomber dans son fauteuil. Son corps, sa main toujours dans ses cheveux se détendirent. Lentement, il la ramena vers lui pour lui livrer les derniers soubresauts de son plaisir. Jusqu'à ce que le cœur de Béatrix se calme un peu, jusqu'à ce que le pénis libéré de l'emprise de ses lèvres retombe entre ses cuisses, vaincu. Le moment de folie avait pris fin.

Il releva la tête de la jeune fille et fit rouler son fauteuil vers l'arrière.

— Béa, dit-il. Sors de là.

Sa voix était douce, raisonnable, et Béa se sentit chavirer. Le « beau-père » était de retour. Elle remit de l'ordre dans sa tenue et émergea de sa cachette.

Étant donné ce qui venait de se passer, Philip ne prit pas la peine de se détourner pour se rhabiller lui aussi.

Il ne comprenait pas ce qui lui avait pris. Ou plutôt si, il comprenait. Il fut un temps où il sautait sur tout ce qui bougeait. Les mannequins, les couturières, n'importe quelle femme un tant soit peu jolie. Il lui suffisait d'un clin d'œil et l'affaire était dans le sac. Heureusement, son mariage avec Ève avait mis un terme à tout ça. Elle avait comblé tous ses désirs, et bien plus. Hélas, elle était morte depuis six mois et il n'avait eu aucune relation sexuelle depuis. Mais cela n'excusait pas sa conduite : il avait failli baiser sa belle-fille, ni plus ni moins!

Un frisson le parcourut au souvenir du contact de sa bouche. De ses lèvres si chaudes, si douces, si fermes... Son crâne fourmillait chaque fois qu'elle l'aspirait, et le seul fait d'y penser provoquait les mêmes picotements. Incapable de résister alors qu'il savait qu'il ne fallait pas, il avait cédé à ses instincts les plus sauvages. Il ne se souvenait pas d'avoir joui de cette façon. Cela ne lui était peut-être même jamais arrivé. Au lieu de le refroidir, la présence d'Alain en face de lui, de ce témoin inconscient, l'avait galvanisé. Avec Ève, les extravagances érotiques ne l'attiraient pas. Mais peut-être que maintenant...

Non, non, *non*. Il se frotta les yeux avec les paumes des mains. Ses pensées prenaient un chemin tortueux. Ce qui venait de se passer n'aurait jamais dû arriver. Il s'agissait d'un égarement. D'une perte de la raison momentanée. Cela ne devait pas se reproduire.

Mais cette bonne résolution ne l'empêchait pas de regretter ce qu'il n'avait pas fait alors qu'il en avait eu l'occasion. Béa avait une peau incroyable, il l'avait toujours su. Une peau comme de la crème avec une pointe de cannelle. D'une douceur de bébé. Et ses seins... Quoi qu'elle en pense – et il savait qu'elle n'en pensait pas grand-chose de bien – ils étaient admirables, des seins de reine. Quel dommage qu'il les ait à peine touchés!

Consterné par le cours que prenaient ses réflexions, il gémit en secouant la tête.

— Reprends-toi, ordonna-t-elle, l'obligeant à lever les yeux de son décolleté.

Elle avait retrouvé son expression habituelle à la fois moqueuse et supérieure, et en même temps sur la défensive, telle une adolescente.

Ce regard l'avait frappé, la première fois qu'il l'avait vue. Du haut de ses vingt ans, il s'était dit qu'elle avait besoin d'un ami. Ce qu'il était devenu, selon les moments, mais le plus souvent ses tentatives d'approche s'étaient soldées par une rebuffade. Elle compensait son manque de confiance en elle par une intelligence très vive.

— Cela ne se reproduira pas, affirma-t-il le plus fermement possible, dans la mesure où il sentait une nouvelle érection se préciser.

— Le contraire ne m'a même pas effleurée.

Elle s'était appuyée contre le bureau, légèrement déhanchée, les bras croisés sur ses seins dont il devinait les pointes toujours aussi dures. Une pulsation parcourut son sexe et il plongea le nez vers ses chaussures.

— Il y avait une chose dont je voulais te parler, dit-il.

— Avant de te laisser distraire par mes prouesses orales ?

Il soupira.

— Béa... Je suis désolé. Je...

— Non, l'interrompit-elle d'une voix vibrante de colère.

Mais il fut surpris de déceler aussi de la douleur dans son intonation.

— Ne t'excuse pas, ajouta-t-elle en baissant la tête. Disons que j'ai sauté sur une chance unique de donner un coup de canif à la mémoire de maman.

Philip se raidit. Cela expliquait tout. Ève et elle avaient toujours été à couteaux tirés. Elles se ressemblaient trop et pas assez à la fois. Malgré tout, son ton méprisant l'attrista.

Ne sois pas idiot, se dit-il. Elle a simplement blessé ta fierté.

Et elle s'y entendait, dans ce domaine !

— Alors, de quoi voulais-tu me parler ? enchaîna-t-elle.

Contrairement à elle, il n'avait pas cette capacité à reprendre ses esprits facilement. Il lui fallait un peu de temps.

— Plus tard. Viens dîner ce soir. Je préparerai de la purée avec des saucisses et nous ferons un sort à un pouilly-fumé de derrière les fagots.

— En faisant comme si rien ne s'était passé ?

— En faisant comme si rien ne s'était passé, acquiesça-t-il.

Mais, incapable d'en rester là, il prit le visage de Béatrix entre ses mains et lui caressa les joues de ses deux pouces. Elle devait ses pommettes hautes à son père irlandais. Un misérable, selon Ève, qui s'était volatilisé sans attendre que sa grossesse soit confirmée. Toujours selon Ève, elle n'avait légué au fruit de cet amour de passage que son nom et son intelligence. Béa n'avait rien gardé de la grande beauté de sa mère, de sa minceur, de sa blondeur, de sa peau d'albâtre parsemée de taches de rousseur, de ses sourcils finement arqués comme sous l'effet d'une surprise perpétuelle. Ses yeux à elle étaient bruns et sombres comme la tourbe, sa bouche immense, et son visage semblait fait pour le rire et le soleil. Philip ignorait comment lui expliquer tout cela, comment lui dire que contrairement à ce qu'elle pensait, il l'aimait beaucoup.

— Tu ne vas pas pleurnicher, maintenant ? jeta-t-elle en lisant ses sentiments dans son regard. Tu n'es pas le premier que j'ai conquis de cette manière, et tu ne seras pas le dernier.

— Je n'en doute pas.

Il avait seulement tenté de l'aider à restaurer son estime de soi, mais ses joues s'empourprèrent au souvenir de cet intermède très spécial où elle avait excellé.

S'efforçant d'ignorer la douce chaleur qui incendiait de nouveau son bas-ventre, il s'exhorta à la prudence. Un homme dans sa position ne pouvait se permettre ce genre de folies.

2

Le soleil à peine voilé de cette belle journée se reflétait dans les vitres de la tour, lorsque Béatrix en sortit. Sous les arches du pont de Neuilly, la Seine coulait lentement, charriant un bateau-mouche bondé de touristes.

Elle eut envie de courir jusqu'au port d'embarquement le plus proche, mais elle dut refréner ses désirs de promenades buissonnières, surtout quand elle vit la circulation en direction de l'Étoile. Car sa mère lui avait légué un héritage de taille qu'elle se sentait dans l'obligation d'honorer en se montrant à la hauteur. Philip avait accepté de bonne grâce la présidence de *Meilleurs Amis,* mais il avait une bataille à mener. Tout le monde – banquiers, clients, boutiquiers – attendait de voir si ce don juan patenté possédait les talents nécessaires pour diriger les magasins Clouet. Peu importait qu'il eût déjà exercé ces responsabilités du vivant d'Evangeline. S'il faisait un pas de travers, à présent, on penserait que sans elle il ne valait rien.

En réalité, Philip avait beaucoup plus de jugeote que les gens ne lui en prêtaient. Il était en outre un travailleur acharné. Néanmoins, il ne pouvait pas tout faire et c'est pourquoi Béatrix avait prévu de passer l'après-midi à la boutique de la rue Saint-Honoré. De leurs nombreuses employées, celles de

Paris étaient les plus lentes à s'adapter à la nouvelle politique. Elles semblaient estimer que traiter les clients avec dédain faisait partie de leurs fonctions. Béatrix n'était pas sûre de parvenir à leur inculquer des manières plus avenantes, mais elle avait plus de chances que Philip de mener cette mission à bien : la discipline n'était pas le point fort de son beau-père.

Avec une grimace, elle récupéra son vélo, mit son casque et se prépara à affronter les automobilistes parisiens.

Une bataille périlleuse en perspective, même sur une distance relativement courte. Après avoir été frôlée à deux reprises par des conducteurs inconscients, elle tourna sous les marronniers et continua sur le trottoir. Se heurtant alors aux regards accusateurs des passants et des clients des cafés attablés en terrasse, elle adopta une allure d'escargot en s'excusant à l'occasion, même si elle ne se sentait nullement coupable d'emprunter une voie réservée aux piétons. Si les conducteurs de scooters se permettaient d'y rouler, pourquoi pas elle ? À la vitesse où elle allait, une collision serait sans conséquence.

Cette petite victoire sur la circulation l'aida à retrouver sa bonne humeur. Elle arrivait devant le magasin lorsqu'une femme s'arrêta juste devant la porte, dans l'intention évidente de faire faire ses besoins à un caniche aux poils taillés avec soin. Prenant un air hautain dont sa mère aurait été fière, Béa claqua des doigts en direction de l'élégante.

— Non, non, madame. Pas ici. À moins que vous n'ayez de quoi ramasser ?

L'autre renifla avec dédain mais entraîna son petit pollueur plus loin.

Béatrix ôta son casque et examina la vitrine. Au centre de l'étalage recouvert de moquette, se trouvait une mallette de toilette Second Empire en laque noire incrustée de nacre. Posés dessus, des flacons de parfum modernes – de vrais objets d'art – se reflétaient dans les miroirs à dorures. Un foulard japonais peint à la main était jeté sur le dossier d'un fauteuil précieux, comme si sa propriétaire venait tout juste d'interrompre sa toilette. L'éclairage était parfait, et la disposition attrayante. Bien sûr, chaque article était en vente à l'intérieur.

À l'instant où elle pénétra dans la boutique, elle oublia toutefois ses préoccupations professionnelles. Une jeune femme était paresseusement appuyée contre le comptoir des gants en verre ancien. Ses cheveux châtains ruisselaient en vagues souples sur ses épaules. Elle portait deux tee-shirts superposés et ajustés, l'un rouge l'autre blanc, et un jean taille basse délavé, déchiré sur la cuisse, avec des Timberland marron et usées. Malgré ses vêtements à la mode mais bon marché, elle avait autant d'allure que la vendeuse vêtue de soie qui se trouvait derrière le comptoir.

Quand elle aperçut Béatrix, elle ôta ses petites lunettes cerclées de noir.

— Salut ! lança-t-elle comme si elles s'étaient vues la veille, alors que leur dernière rencontre remontait à un an. Ça roule ?

Béatrix éclata de rire et prit la jeune femme dans ses bras, ignorant les regards des vendeuses. Son amie était à peine plus petite qu'elle, beaucoup plus fine mais musclée en même temps. Leur étreinte leur coupa le souffle à toutes les deux.

— Lela ! Que fais-tu ici ?

— Comme d'hab. Le travail. Les distractions. Taxer mon dernier amant. J'écris un article sur les voyages pour le *Vogue* américain. Et lui cherche un parfum pour son boss.

— Un parfum ?

— C'est une longue histoire. Je te raconterai tout ça devant un sandwich au pâté.

— Mais comment savais-tu que je serais ici ?

— Je ne le savais pas. J'avais besoin de trouver un cadeau.

Elle étala sur le comptoir à gants une parure de dessous en très fine dentelle couleur lilas.

— C'est toujours ta taille ? s'enquit-elle.

— Lela ! Tu ne peux pas m'acheter ça. C'est beaucoup trop cher.

— N'importe quoi. J'ai prévu de te taxer aussi, de toute façon.

Elle écarta les pans de la veste de Béatrix et l'observa en plissant les yeux.

— Je ne sais pas, Béa, mais je trouve que tu es devenue drôlement sexy !

Béatrix rougit, mais elle rit de plaisir.

— En tout cas, je me sens toujours aussi mal fagotée par rapport à toi.

— Non, tu portes ton débraillé avec brio. Dans le Kansas, tu ferais des ravages !

— Mais je ne suis pas dans le Kansas.

— Exact, admit Lela avec son fameux sourire en coin. T'es pas sortie de l'auberge, ici, si je comprends bien ?

Elles se regardèrent, heureuses de constater qu'elles n'avaient pas perdu leur sens de la repartie. À l'université, personne ne faisait le poids face à elles. Elles étaient célèbres pour leur esprit redoutable sur le campus de Columbia, une première pour Béatrix qui avait toujours eu tendance à ne pas se faire remarquer, où qu'elle aille. Grâce à Lela, elle s'était enhardie et à sa grande surprise, Lela avait voulu se lier d'amitié avec elle. Elle l'appelait la « superbe Française » et effectivement, Béatrix se sentait presque belle quand elle était avec elle. Ensemble, elles avaient fait les quatre cents coups. Indisciplinées et intelligentes, elles avaient été le désespoir et le ravissement de leurs professeurs.

Aujourd'hui, lorsque Béatrix se sentait seule, il lui suffisait d'évoquer ces souvenirs et de se rappeler qu'elle avait la meilleure amie du monde.

— Donne-moi un quart d'heure, dit-elle. Je dois discuter de deux ou trois choses avec la responsable. Ensuite, nous prenons un taxi et je t'emmène dans mon nouvel appartement.

— Ça me va, répondit Lela avec sa décontraction très américaine.

Béatrix l'embrassa sur la joue. Lela était là ! Son beau-père pouvait aller au diable. La journée s'éclairait, tout à coup.

Depuis six mois, Béatrix vivait à Montmartre. Avant, elle habitait dans l'immense appartement familial, avenue Foch. Mais après la mort de sa mère, il lui était devenu difficile de supporter le chagrin de Philip. Ses propres sentiments envers Evangeline, sans parler des circonstances de sa disparition, étaient trop conflictuels pour qu'elle partage sa peine.

Elle s'était donc installée avenue Junot, et pour la première fois de sa vie, elle vivait seule. Vraiment seule, sans cuisiniers, sans domestiques non plus. Un moment qu'elle redoutait beaucoup. Contre toute attente, la liberté l'avait épanouie. La solitude, la tranquillité, le fait de n'avoir pas de comptes à rendre avaient agi comme un coup de fouet sur son caractère.

Le six pièces spacieux se situait en haut d'une maison en pierre de taille près du Moulin de la Galette. Il donnait d'un côté sur le square Suzanne-Buisson et de l'autre sur le Sacré-Cœur qui dominait la butte et tout Paris. Elle s'était inspirée de la vue grandiose pour choisir les couleurs de son intérieur : le blanc cassé, le vert des arbres et le bleu argenté du ciel. Ses murs étaient d'un rose très pâle, légèrement grisé, les boiseries blanches. Elle y avait suspendu des tableaux de ses impressionnistes préférés.

Ce n'étaient pas les cinq étages qui faisaient battre le cœur de Béatrix quand elle arriva devant sa porte, mais l'anticipation. Depuis qu'elle connaissait Lela, celle-ci avait toujours été autonome. Auprès d'une amie aussi libre, vivre avec sa mère était devenu embarrassant pour Béa, même si elle occupait une suite indépendante. Mais aujourd'hui, elle vivait seule elle aussi.

Elle ouvrit la porte avec un grand geste.

— Oh ! s'exclama Lela. Quelle vue !

Le sourire aux lèvres, Béatrix lui fit visiter son domaine. Elles traversèrent un salon, une salle à manger, une cuisine aux lignes épurées et une chambre d'amis accueillante. Celle de la maîtresse des lieux était dans les tons roses et jaunes. Elles montèrent ensuite un escalier en colimaçon jusqu'à l'atelier. Une porte ouvrait sur un jardin aménagé sur le toit. Lela regarda à peine les rosiers sauvages. Seules les toiles posées par terre, contre le mur, retinrent son attention. Elle baissa sur son nez les lunettes qu'elle avait relevées sur sa tête. Béatrix songea que leur monture noire lui conférait un charme étrange, presque suranné, faisant paraître son nez retroussé encore plus ravissant. Ses joues semblaient plus creuses, sa bouche plus pleine, ses cils et ses sourcils plus noirs. Il n'y avait que Lela pour réussir à faire d'une paire de lunettes un accessoire de charme aussi efficace.

— Eh bien, dit Lela en soulevant une toile pour la tourner vers la lumière. Je vois que tu as été très occupée. Mais que font ces superbes tableaux à languir ici ? Ils devraient être mis en vente quelque part dans une galerie.

Béatrix se tortilla sur elle-même.

— J'ai fait une petite exposition.

— C'est vrai ?

Lela souleva une deuxième toile représentant le Sacré-Cœur.

— Oui, une toute petite. Sur la rive gauche, répondit-elle en se mordant l'ongle du pouce. J'ai eu quelques critiques, parce que je suis une Clouet.

— Et... ?

— Ils ont dit que mes œuvres étaient « jolies ». Et « romantiques ».

— C'était censé être insultant, si je comprends bien. En effet, c'est joli et romantique. Mais c'est aussi très bon ! Regarde la lumière qui s'en dégage, Béatrix. Regarde les couleurs. La peinture semble chanter hors de la toile. Si les touristes voyaient ça, ils se jetteraient dessus !

— Les touristes, répéta Béatrix avec dédain.

Lela lui tapa sur l'épaule en riant.

— Que tu es snob ! Tu peins ce que tu aimes. Pourquoi ne vendrais-tu pas à des gens qui apprécient ton travail ?

— Lela, ils m'ont traitée de clone de Wyeth.

— J'adore Andrew Wyeth. C'est lui qui a peint *Christine,* n'est-ce pas ?

— Oui, *Christina's World*, plus exactement. Mais...

— Il n'y a pas de mais. Tu as toujours été choquée de voir comment Philip avait renoncé, après avoir pris une claque dans la figure. Tu veux devenir comme lui, ou envoyer les critiques se faire voir ? Tu ne vas tout de même pas les laisser t'imposer leur point de vue, non ?

— Les envoyer se faire voir... marmonna Béatrix en retirant son pouce de sa bouche. Comment ai-je pu oublier à quel point tu m'étais bénéfique ?

— Je ne sais pas. Tu aurais dû m'appeler plus souvent.

Lela inclina son visage d'elfe et les deux amies échangèrent un sourire.

Elles firent un repas de pain rassis, de pâté, et de brie tellement fait qu'il collait au palais. Pour faire passer tout ça, elles ouvrirent une bouteille de sauternes et s'alanguirent au fur et à mesure que le niveau descendait.

Installées au comptoir de la cuisine, des herbes aromatiques se balançant au-dessus de leurs têtes, elles contemplaient les reflets dorés du soleil qui entrait par l'étroite fenêtre. Des carreaux blanc mat tapissaient les murs et tous les agencements, même les placards, étaient recouverts de zinc argenté comme dans les cafés d'autrefois. Le tout donnait l'impression d'une pièce hors du temps.

Perdue dans ses pensées, Lela faisait tourner son vin dans le fond de son verre. Ses lunettes de nouveau sur son crâne reflétaient la lumière jaune.

— J'achète celui de la fille penchée à sa fenêtre, dit-elle. Il vaut au moins cinq cents, mais à deux cents, je suis d'accord.

Béatrix savait qu'elle ne pouvait se le permettre.

— Tu le prends pour rien. C'est comme ça et pas autrement.

Lela eut un sourire canaille.

— Tu te sens vraiment coupable que ta mère t'ait laissé tant d'argent, pas vrai ?

— Étant donné que je la haïssais, oui.

Lela s'appuya sur ses avant-bras, faisant saillir ses seins dorés et ronds dans le décolleté du tee-shirt.

— Allez, dit-elle de sa voix un peu rauque devenue traînante sous l'effet de l'alcool. Tu ne pouvais haïr ta propre mère. Vous ne vous entendiez peut-être pas, mais...

— Crois-moi, cela allait bien au-delà d'une « mauvaise entente ». Evangeline Clouet n'était pas une personne gentille. Elle était superficielle et égoïste. Elle ne pensait qu'à elle, terrorisait toutes celles et ceux qui travaillaient pour elle, disait du mal de ses amis dès qu'ils avaient le dos tourné. De plus, elle laissait croire que son jeune compagnon anglais n'était rien d'autre qu'un gigolo alors qu'il se donnait à fond pour elle – et qu'il l'adorait.

— Ne sois pas injuste. Comment pouvait-elle contrôler ce que les gens pensaient ?

— Si elle l'avait voulu, elle les aurait amenés à changer de point de vue. Mais elle ne tenait pas à ce que son mari soit respecté. Ni qui que ce soit d'autre, d'ailleurs. À part elle.

Lela remua sur son tabouret.

— Je ne sais pas. La femme que j'ai rencontrée ne m'a pas semblé aussi névrosée.

— Elle tenait à ce que tu l'aimes, expliqua Béatrix, un peu oppressée. Elle espérait me blesser en te traitant mieux qu'elle ne me traitait. Et ne secoue pas la tête comme ça. Tu ne l'as vue que deux fois. Moi, je vivais avec elle : je la connaissais.

Le ton de sa voix avait monté sans qu'elle s'en aperçoive. Elle n'aurait pas dû se laisser entraîner dans cette discussion. Lela n'avait jamais compris son inimitié envers sa mère, sans doute parce qu'elle-même avait été ballottée de famille d'accueil en famille d'accueil. N'importe quelle mère lui semblait préférable à pas de mère du tout. Et peut-être que personne ne pouvait considérer Evangeline comme Béatrix le faisait. Mais elle n'avait pas envie de se disputer avec Lela, alors qu'elles se voyaient si rarement. Elle était sa meilleure et sa plus proche amie. Elle ne pouvait se permettre de la perdre.

Devinant son désarroi, Lela se radoucit :

— D'accord, j'ai sûrement tendance à idéaliser. Toujours est-il que j'ai eu l'occasion de voir comment elle se comportait avec toi, et elle n'agissait pas comme si elle te haïssait.

— Je ne sais pas si elle me haïssait, mais moi je la haïssais, c'est une certitude.

Lela ôta ses lunettes de sa tête et les fit jouer entre ses doigts.

— Au moins, tu avais Phil.

— Oui, admit Béatrix en vidant le reste du vin dans leurs verres. Il a toujours essayé d'être gentil.

Un silence tomba. Lela savait que son amie avait le béguin pour Phil, même si elles en parlaient rarement. Béa trouvait cela humiliant et s'en voulait de ne pas parvenir à se défaire de cette toquade. Elle rougit au souvenir de ce qu'elle avait fait sous le bureau. Tout le vin du monde ne l'aiderait pas à gommer le goût, la sensation de son sexe palpitant dans sa bouche. Jamais elle n'oserait le regarder en face, désormais.

Heureusement, les pensées de Lela avaient pris un tout autre chemin.

— Quoi qu'il en soit, je suis désolée de ne pas avoir été là pour l'enterrement.

— Ce n'est pas grave. La presse en a fait tout un plat.

— C'est étrange tout de même, cette histoire. Ce type qui la suivait. On ne s'attend pas à trouver ce genre de crime ailleurs qu'en Amérique.

— Je le connaissais, dit Béatrix sombrement.

— Qui ? Celui qui la suivait ?

— Oui.

Elle s'évada un instant dans le passé et revit l'atelier poussiéreux de Julien, ses longues mains pleines d'argile, ses yeux brillant de passions que nul ne pouvait partager.

— C'était un sculpteur de talent mais il souffrait d'un trouble bipolaire, je crois, et il ne pouvait pas travailler lorsqu'il prenait ses médicaments. Quand maman a mis un terme à leur relation…

— Attends une seconde. Ta mère trompait Phil ? Le beau Phil ?

— Oui. Julien a sombré, mais elle n'a rien fait pour l'aider. Elle se contentait d'appeler la police, et le lendemain elle téléphonait à Julien, éplorée, lui disant combien elle était désolée que leur histoire se termine comme ça. Les policiers l'ont suppliée de cesser de prendre contact avec lui, et moi aussi…

Elle se souvenait précisément des mots qu'elle avait employés : *Je t'en prie, maman, laisse-lui une chance de se remettre. Il est trop fragile pour tes petits jeux…*

— Bref, reprit-elle, elle l'a poussé à bout.

— Mais, pourquoi ?

— Parce que cela flattait son ego d'avoir un jeune homme brillant à ses pieds, prêt à se tuer pour elle.

— C'est complètement…

— Dingue ? Oui. Je me demande si ce n'est pas de famille. D'après certaines rumeurs, ma grand-mère aurait collaboré avec les nazis.

Lela semblait vraiment choquée, à présent. Elle écarta la bouteille de vin, posa son verre et regarda son amie droit dans les yeux.

— Je pensais que ce n'était qu'une calomnie.

— Je n'en suis pas si sûre. J'ai trouvé un insigne SS dans sa boîte à bijoux, un jour, près de la broche en diamants que lui avait donnée le comte russe.

— Mmm, oui. Peut-être vaut-il mieux ne pas trop fouiller dans nos origines… Au moins, tu n'es pas folle, toi.

— Parfois, je me le demande…

— Tu veux dire, à cause de Phil ?

Béatrix haussa une épaule et Lela lui prit aussitôt la main pour l'embrasser. Elle exprimait son affection d'une manière déconcertante, pour quelqu'un qui n'avait pas eu une vie facile sur le plan affectif.

— Béa, mon cœur, arrête de te languir pour cet homme. Sors, amuse-toi.

— Je vois d'autres hommes. Beaucoup, même.

— Vraiment ? Des bons au lit ?

— Ceux-là ne courent pas les rues.

— Eh bien, moi j'en ai un dont tu pourrais profiter. En fait, je crois que j'en ai marre de lui.

— Mais enfin, tu ne peux pas refiler tes ex comme ça !

— Pourquoi pas ? répliqua Lela avec un grand sourire. Il n'arrête pas d'essayer de me convaincre de sortir avec son patron, pour « redresser » son image auprès de lui, comme il dit.

— Il a l'air charmant !

— Il l'est... mis à part ce léger travers, précisa-t-elle avec amusement. Andrew est extrêmement courtois, séduisant, plein d'humour. Génial au lit. Un accent du Sud à croquer. Si tu venais dîner avec nous ce soir ? Tu le rencontrerais.

— Je dois dîner avec Philip, se souvint-elle soudain. D'ailleurs, je voulais te proposer de te joindre à nous. Je n'ai pas envie d'être seule avec lui.

— C'est une première !

Béatrix plissa le nez en ignorant le regard interrogatif de son amie.

— D'accord ? fit Lela. Si nous dînions ensemble tous les quatre ? Tu comparerais nos deux étalons pour voir si tu ne pourrais pas aller faire un tour avec le mien.

— Pas question. De toute façon, il ne voudrait pas de moi, après t'avoir eue, toi.

— Attends donc de l'avoir rencontré, rétorqua Lela en éclatant de rire.

— Voilà ce que j'appelle une femme, déclara Andrew Laborteaux.

Il les avait retrouvées au marché de la rue Lepic. Ce n'était pas l'heure idéale pour s'approvisionner mais il restait des fruits, des légumes et des tomates rouge sang sur les étals. Andrew avait l'air de se sentir comme chez lui.

Grand et mince, il avait des cheveux d'un blond pâle et quelques rides dues au rire et au soleil plutôt qu'à l'âge. Il devait avoir une dizaine d'années de moins que Lela, ce qui n'avait rien de surprenant. La plupart des amants de Lela étaient plus jeunes qu'elle, et le sourire lumineux et juvénile de ce dernier inspirait d'emblée la sympathie.

Il portait des vêtements élégants mais décontractés qui convenaient parfaitement à son style : pantalon en lin grège, chemise en soie verte impeccablement repassée. Ses mocassins italiens en cuir souple se prêtaient parfaitement aux rues pavées. Autour de son cou, attachée à un lien noir au fermoir d'argent, pendait une turquoise que sa grand-mère Sophie n'aurait pas dédaignée.

Quand il prit les mains de Béatrix dans les siennes pour la saluer, il sourit comme devant la créature la plus enchanteresse du monde.

Elle commençait à comprendre pourquoi il plaisait à Lela.

— Arrête de baver d'admiration, lui dit celle-ci en se haussant sur la pointe des pieds pour poser un baiser sur sa joue brunie par le soleil.

— Elle répond à mon sourire, chérie. Je crois que je lui plais !

Béatrix éclata de rire.

— Chez nous, à La Nouvelle-Orléans, on aime les femmes épanouies et passionnées, murmura-t-il en se penchant vers elle.

Elle le repoussa plaisamment en songeant que Lela avait raison. Son accent traînant était irrésistible. Un mélange de l'accent français et de celui du sud des États-Unis.

Sans se démonter, il glissa un bras sous le sien et l'autre sous celui de Lela et, tandis qu'ils marchaient, il ne manqua pas d'attirer Béatrix plus près de lui sous prétexte d'éviter des piétons. En réalité, il voulait sentir son sein contre son bras. Un trouble inattendu envahit la jeune femme. Ses tétons durcirent et une onde chaude s'insinua entre ses jambes. Andrew posa sur elle son regard d'un bleu délavé avec un petit sourire prometteur.

— Tu es plus belle qu'un tableau, proclama-t-il. Et je ne plaisante pas, chérie.

— Je t'avais bien dit que tu lui plairais, lança Lela de l'autre côté.

Mais Béatrix n'était pas habituée à la flatterie ou à se voir encouragée par une autre femme. Andrew sembla deviner son embarras.

— On fait les magasins ? proposa-t-il en montrant les devantures colorées. Je déteste débarquer quelque part les mains vides, quand je ne suis pas invité.

Ils arrivèrent à huit heures les bras chargés de sacs, de bouteilles et d'un énorme bouquet de fleurs. Malgré ses tentatives pour rester de marbre, malgré son nouvel admirateur et les incitations de Lela, Béatrix s'empourpra si violemment lorsque Philip ouvrit la porte, qu'elle en eut chaud aux oreilles.

Il la fixa un instant, surpris mais pas fâché, apparemment.

— J'ai amené des invités, dit-elle en lui mettant dans les mains le bouquet de marguerites jaunes qu'Andrew avait acheté.

— Oui, je vois. Merci pour ces fleurs. Lela, j'ai failli ne pas te reconnaître avec ces lunettes !

Elle soupira en les remontant sur sa tête.

— Je te présente Andrew Laborteaux, un ami. Il est venu à Paris pour chercher des parfums. Andrew, voici Philip Carmichael, le P-DG de *Meilleurs Amis*.

Les deux hommes se serrèrent la main, puis Philip se pencha pour étreindre Lela. Les effusions lui ressemblaient peu, mais Lela et lui s'étaient bien entendus lors de leurs deux précédentes rencontres. Il faut dire que Lela s'entendait bien avec la plupart des hommes qui croisaient son chemin. Un effet probablement dû à sa nature charmeuse. Toujours est-il que Philip et elle étaient plus à l'aise ensemble que Béa ne l'était avec Andrew.

Philip ouvrit la porte en grand et ils entrèrent. Béatrix s'attendait à ce qu'il lui jette un regard de reproche pour être venue accompagnée, mais il se contenta de poser une main au bas de son dos dans un geste d'hospitalité. Elle portait une tenue que Lela avait choisie pour elle : un haut rouge à col bateau avec une jupe noire à mi-mollets. Le tout beaucoup plus près du corps qu'elle n'en avait l'habitude. Le tee-shirt, notamment, était si fin et si moulant qu'il offrait une protection bien dérisoire au contact de la main de Phil. Une main qui, innocemment, s'attarda. Glissa plus bas, jusqu'aux courbes de ses fesses. À tel point qu'elle se sentit frémir tandis qu'ils traversaient le vestibule dallé de marbre.

Ce n'était pas la première fois qu'il la touchait, bien sûr. Les tapotements sur la joue, les légers pincements sur le bras faisaient partie des privautés toutes relatives que se permettait cet homme affectueux, à la réserve très anglaise. Mais ce soir, c'était du feu qu'il lui insufflait par ce contact d'apparence anodine, et Béatrix n'était pas sûre de pouvoir faire face.

À son grand soulagement, Andrew attira leur attention en s'extasiant devant le salon.

— Ça, c'est un intérieur, dit-il en contemplant les moulures du plafond, mises en valeur par les reflets changeants des chandeliers.

Andrew posa ses sacs.

— Nous avons apporté un petit extra. Si vous voulez bien me montrer la cuisine, je m'en occupe.

Béa éprouva comme un vide quand la main de Philip quitta son dos. L'offre d'Andrew sembla le désarçonner, mais ses bonnes manières l'emportèrent.

— Bien sûr, dit-il. Si nous allions tous à la cuisine ?

La soirée commença à prendre des allures de fête lorsque le vin se mit à couler et que les paquets furent ouverts. À un bout de l'immense cuisine, Andrew et Lela s'attaquèrent au décorticage d'une énorme quantité de crevettes tandis qu'à l'autre extrémité,

Béatrix et Philip préparaient une purée de pommes de terre.

— Et la cuisinière ? demanda Béa, surprenant Phil en pleine contemplation de son décolleté, ce qui ne pouvait être intentionnel, selon elle.

— Pardon ?

— Mme Daoud, la cuisinière, précisa-t-elle.

— Oh...

Il retourna une saucisse dans une sauteuse en cuivre rutilante, les joues rosies par la chaleur.

— Elle est partie. Ces insupportables journalistes n'ont cessé de la harceler. Ce n'est même pas la peine que j'essaie d'en trouver une autre.

— J'espère que tu ne vas pas te nourrir d'œufs brouillés ?

— Non, je prends mes repas dehors, en général.

Lela les interrompit en venant demander un économe. Avec un étrange sentiment d'être chez elle, Béatrix en prit un dans un tiroir.

Philip attendit que Lela se soit éloignée :

— Tu n'avais pas peur de venir ici toute seule, n'est-ce pas ?

— Bien sûr que non, répondit Béa en se maudissant de se sentir rougir. Lela est arrivée par surprise. Je pensais que tu serais content de la voir.

— Je le suis, mais... j'espère que tu ne me tiens pas rigueur de ce qui s'est passé cet après-midi. Nous étions deux. Et nous traversons une période d'adaptation... enfin, je veux que tu saches que je ne suis pas en colère.

— Moi non plus.

Il la regarda comme si elle venait de parler chinois, et Béatrix se demanda pourquoi.

— Bien, dit-il au bout d'un moment, ayant repris ses esprits. Content de le savoir.

Et il se remit à préparer ses saucisses.

Andrew choisit cet instant précis pour prendre Béa par la taille et la soulever du sol.

— Lela surveille la cuisson, dit-il. Si tu me faisais visiter ?

Comment lui refuser quoi que ce soit quand il souriait ainsi ? Comme elle, la plupart des femmes en étaient sûrement incapables.

Elle le conduisit dans les diverses pièces, lui montrant les trésors familiaux qui avaient pendant si longtemps constitué son décor quotidien. La salle à manger époustoufla Andrew, avec ses lambris au-dessus desquels se déployaient des peintures murales représentant des scènes pastorales. On y voyait des bergères en robes bouffantes armées de houlettes avec des bergers jouant de la flûte de Pan, et des moutons qui gambadaient.

Curieux de tout, Andrew ouvrait toutes les portes devant lesquelles ils passaient, jusqu'à celle de la salle de bains du maître de maison. Immédiatement, il poussa Béatrix à l'intérieur et la plaqua contre le mur carrelé de bleu poudré.

— Voilà ce qu'il nous fallait, une porte munie d'un verrou.

Son corps chaud était pressé contre le sien. Il dégageait une délicieuse odeur citronnée. Sans vergogne, il glissa une cuisse entre les siennes et posa les mains de chaque côté de sa tête. Elle se sentait à sa merci et en éprouva une sorte d'anxiété nullement désagréable. Andrew respirait lentement mais fort.

— Qu'est-ce que tu fais ? s'enquit-elle, consciente de poser une question idiote.

Il lui prit la main et la pressa contre sa poitrine pour lui montrer à quel point son cœur battait.

— C'est toi qui me fais quelque chose, Béa, tu vois ?

Avant qu'elle puisse répondre, il écrasa sa bouche contre la sienne, étouffant son exclamation de surprise et la transformant bien vite en gémissement de plaisir. Très ardent, le baiser enflammait ses sens. Il guida sa main sous sa chemise puis sur son érection, comme s'il ne pouvait attendre plus longtemps qu'elle le touche.

— Voilà ce que tu me fais, grogna-t-il en l'obligeant à le caresser. Je suis dans cet état depuis que je t'ai vue. Ton corps est tellement appétissant…

Avant de se demander si c'était une bonne idée de l'encourager, Béatrix sentit ses doigts se refermer d'eux-mêmes sur le long membre dur, à travers le lin.

— Oh, oui, approuva-t-il aussitôt. Serre-le, serre-le bien…

Elle ne put s'empêcher de le comparer à Philip. Il ne l'égalait pas en taille, mais il continuait de durcir sous ses caresses. Il se mit à haleter quand elle se concentra sur l'extrémité dont l'humidité transperçait maintenant le tissu. Constatant qu'il aimait cela, elle continua. Soudain, elle perçut la fraîcheur de l'air contre la peau de ses cuisses. Il avait soulevé sa jupe sans qu'elle s'en rende compte. Elle se raidit, mais il glissa ses doigts sous sa culotte puis entre ses lèvres moites, et elle s'offrit malgré elle à leur pression.

— Mmm, exhala-t-il contre sa bouche.

Alors il s'agenouilla devant elle et l'instant d'après, son souffle brûlant était entre ses jambes, puis sa langue. Et son pouce en même temps. Elle s'agrippa à ses cheveux pendant qu'il la léchait de plus en plus intimement, avec une audace qu'elle n'était pas sûre d'apprécier totalement. Mais lorsqu'il aspira son clitoris entre ses lèvres, elle sut qu'elle ne pourrait résister à l'orgasme qui montait. Le premier survenait toujours ainsi, vite et difficilement contrôlable. C'était embarrassant mais assez peu maîtrisable, surtout avec une bouche aussi experte.

Il trouva le point le plus sensible et s'y concentra tant et si bien qu'elle se mit à gémir. Se laissant guider par les réactions qu'il provoquait, il lui écarta les cuisses pour mieux la tourmenter. Elle palpitait d'anticipation contre ses lèvres. C'était si bon… Sa tête se renversa en arrière, ses genoux tremblèrent. Andrew appuya plus fort sur l'extrémité de la petite crête ; la tension monta, monta... puis ce fut l'explosion.

Et tout de suite après, au lieu de s'apaiser, elle repartit vers les cimes.

Sa main prit le relais de sa bouche et il se leva lentement. Le sourire aux lèvres, il continua de caresser ce qu'il venait de lécher. Incapable de lutter, Béatrix ondulait contre sa main à la recherche d'un nouvel orgasme, car elle était loin d'être rassasiée. Mais Andrew ne semblait pas décidé à lui accorder l'assouvissement qu'elle réclamait.

— Je savais que tu serais comme ça, dit-il d'une voix traînante. Je le savais, à la minute où je t'ai vue. Tu as encore envie de jouir, n'est-ce pas ?

Elle se mordit la lèvre inférieure en hochant la tête. Il enfonça un peu ses doigts en elle, son pouce pressa son clitoris. Ivre de plaisir, elle cessa de bouger tandis qu'il mouvait son doigt en une petite ronde diabolique.

— Tu vas devoir attendre, murmura-t-il. On fera l'amour cette nuit, toi et moi. Jusqu'à épuisement. Et ensuite je te lécherai de la tête aux pieds. Tu seras mon petit déjeuner.

Elle rit en s'imaginant étendue sur un plat géant, et il l'embrassa avec une flamme qui traduisait l'ampleur de son propre désir insatisfait. Alors elle pressa ses fesses dures entre ses mains jusqu'à ce qu'il appuie son érection contre son entrejambe et s'y frotte ardemment.

— Pas maintenant, gémit-il pourtant. Nous devons d'abord aller dîner.

Ce brusque rappel de la réalité prit Béatrix par surprise. Le dîner. Philip. Elle était dans sa salle de bains avec Andrew. Son visage la trahirait ! Se dégageant, elle se donna de petites tapes sur les joues puis les aspergea d'eau froide. La serviette de Philip était imprégnée de l'odeur de son eau de Cologne...

— Tu t'inquiètes pour rien, dit Andrew en se léchant le majeur comme un chat. Ton beau-père ne veut que ton bonheur, et Lela aussi. Ce sont des adultes. Rien de ce que nous avons fait ne les choquera.

Mais Béatrix n'en était pas si sûre. Et puis, ce n'était pas pour eux qu'elle s'inquiétait mais pour elle. Elle avait toujours contrôlé ses désirs jusqu'ici et voilà qu'en une journée, elle y succombait sans vergogne, à deux reprises…

3

Assis à la place d'honneur, Philip observait ses invités. Ils devenaient de plus en plus gais au fur et à mesure que le vin coulait. Béa occupait l'ancienne place d'Ève et cela le déconcertait. Non parce qu'elle lui rappelait son ancienne femme. Au contraire. Chacun de ses regards montrait combien elles étaient différentes. Béatrix avait relevé ses boucles noires, en laissant quelques-unes frémir sur sa nuque. Comparée aux jeunes filles aux perruques poudrées qui décoraient les murs, elle évoquait une paysanne, mais une paysanne terriblement sensuelle, attirante comme un fruit mûr. Sa présence l'électrisait, lui faisant prendre conscience de sa propre virilité et de certains désirs que leur bref interlude n'avait fait que mettre en appétit.

Il aurait préféré que ses pensées ne prennent pas ce chemin improbable, mais elles lui échappaient. Très détendue, Béa riait sans retenue. Andrew était en train de leur décrire son patron. Son effet si stressant sur sa secrétaire qu'un jour, elle avait fait pipi dans sa culotte parce qu'il demandait simplement un café. Son acharnement au travail qui l'avait conduit à ne pas prendre de vacances depuis l'époque de Reagan. Son flair quand il l'avait découvert à La Nouvelle-Orléans, où Andrew était serveur, et lui avait déclaré qu'il ne devait pas gâcher son talent en travaillant dans le tourisme.

— Simon Graves a fait de moi un homme d'affaires ! Moi, Andrew Laborteaux, qui ne me distinguais jusque-là que dans les conquêtes féminines. Bien sûr, ma compréhension de l'autre sexe me sert beaucoup dans mon travail.

Lela leva son verre :

— Au directeur du marketing de Graves Department Stores.

— Et au dénicheur de parfums, renchérit Béatrix.

Philip n'avait pas la moindre idée de ce qu'ils étaient en train de fêter. Il ne se sentait pas concerné. Incapable de partager leur gaieté, il repensa au bref instant qu'il avait partagé avec Béa dans la cuisine.

— *Je ne suis pas en colère*, avait-elle dit, elle qui avait toujours été en guerre contre le monde entier pour bien moins que cela.

Et il ne cessait de se remémorer son regard à ce moment-là, un regard direct, d'une sérénité impressionnante qui l'avait profondément troublé… et excité au point qu'il avait dû détourner les yeux.

Elle avait changé. En une seule journée. Dans son tee-shirt moulant et sa jupe droite noire, les cheveux lâchés, légèrement décoiffés comme si elle venait de se lever, elle n'avait plus rien d'une petite fille.

Et ce n'était pas tout. Il s'était passé quelque chose entre elle et cet Américain. Il n'arrêtait pas de la regarder, comme si ce qui l'envoûtait, lui, Philip, agissait aussi sur ce jeune homme. Certes, Philip avait toujours trouvé Béatrix attirante. Elle avait peut-être quelques kilos en trop mais elle les portait bien. Elle lui rappelait une sculpture de Maillol, ferme, ronde, majestueuse.

Ève se plaisait à appeler Béa « la grosse », ce que Béa détestait bien sûr. Le sachant, sa mère se faisait un malin plaisir d'employer ce terme. Quand Philip lui avait demandé pourquoi elle la blessait sciemment, elle lui avait répondu :

— Parce que je suis en colère, je suppose. Béa s'obstine tellement à rester telle qu'elle est, à ne jamais me demander conseil. J'ai l'impression qu'elle m'en veut de m'inquiéter de mon apparence.

Philip avait vaguement acquiescé, mais il n'avait jamais compris pourquoi elles ne pouvaient vivre toutes les deux en harmonie tout en restant elles-mêmes.

— Pourquoi essayer de lui imposer ton point de vue ? avait-il répliqué.

— Parce que j'ai raison, avait rétorqué sa femme en éclatant de ce rire léger et aérien qu'il aimait tant.

Il l'entendait presque à présent, résonnant entre les murs comme si son fantôme était toujours là. Elle avait cru agir pour le mieux, elle avait aimé sa fille mais son manque d'assurance l'avait amenée à lui faire du mal, et finalement à se faire du mal à elle-même.

Ève, songea-t-il en secouant la tête, savais-tu seulement quel gâchis ton attitude engendrerait ?

La voix de Lela lui parvint soudain comme de très loin.

— Alors, comment se porte l'industrie de la mode ?

Sa main aux doigts ornés de bagues en argent s'était posée sur son bras. Pourquoi les mains de certaines femmes provoquaient-elles en lui une explosion de sensations, alors que d'autres se contentaient de le réconforter ?

— Philip ? Tu es toujours avec nous ? ajouta-t-elle avec un vif amusement.

— Comment ? Oh… oui, les affaires vont bien, merci. Sauf à New York, répondit-il en vidant la moitié de son verre de vin tant sa gorge était sèche.

— New York ? s'inquiéta aussitôt Béatrix en se redressant.

Andrew était penché vers elle, comme s'il s'apprêtait à lui donner ses crevettes une à une. Ces deux-là ne se connaissaient que depuis aujourd'hui, mais Béa ne semblait pas indisposée par cette intimité.

Elle posa sa fourchette en argent massif en travers de son assiette.

— Le magasin de New York a des problèmes ?

Mon Dieu, il en avait parlé ? Ce n'était pas son intention. Autant aborder franchement le sujet, à présent.

— Il a enregistré des pertes importantes qui ont quasiment annulé les bénéfices de celui de San Francisco.

Béatrix fronça les sourcils.

— La directrice du magasin n'a-t-elle pas demandé un congé ?

Philip espéra que la rougeur de ses joues ne le trahissait pas. Il savait parfaitement comment Béa était au courant : elle avait entendu Alain en parler pendant qu'elle était à quatre pattes sous son bureau, en train de lui lécher le sexe. Il n'osa pas la regarder.

— Oui, dit-il. Un congé de maternité. Un répit qui ne fera que retarder un peu son licenciement. J'avais pensé – en réalité, j'espérais vraiment que… que tu la remplacerais.

— Moi ?

— Oui, toi.

Elle paraissait vraiment surprise et Philip se demanda à quel point le chemin où il s'engageait était glissant. Avec Béa, on ne savait jamais.

— Tu as passé pas mal de temps dans les magasins dernièrement, et je me suis dit qu'un poste officiel t'intéresserait peut-être.

— À New York ?

Elle avait pâli.

Seigneur ! Elle ignorait qu'il y songeait depuis des semaines et elle allait croire qu'il voulait se débarrasser d'elle, après ce qui s'était passé entre eux. Qu'il ne voulait plus la voir…

— Je voulais seulement dire qu'il y aura un poste à pourvoir là-bas et que si cela t'intéresse… Ta position dans la société est aussi importante que la mienne, mais bien entendu, quel que soit ton choix, il sera le bienvenu.

— T'aider comme je le fais en ce moment me convient très bien.

— À moi aussi, Béa. Comme tu voudras. Cela me… me convient très bien aussi.

Il réprima une violente envie de se ronger les ongles. Non seulement il bafouillait, mais il respirait trop fort.

Lela lui tapota le bras comme s'il était un vieil homme sénile.

— Béa ne peut pas travailler à plein temps. Elle a besoin de peindre.

— De peindre ? Oui, je sais que tu as fait une exposition, mais je pensais…

Béa ne le regardait pas. Elle passait ses pouces autour de son assiette avec cette expression qu'il lui avait vue si souvent, quand sa mère lui faisait une réflexion. Une expression butée. Renfrognée. Elle refusait de montrer à quel point il l'avait blessée.

— Bien sûr que tu dois peindre, s'empressa-t-il d'ajouter en essayant d'afficher un air enthousiaste, mais ne réussissant qu'à passer pour un imbécile.

De la sueur perlait sur son front, à présent. Décidément, il avait perdu une belle occasion de se taire.

Béa marmonna un juron entre ses dents.

— C'est moi qui irai, laissa tomber Lela.

— Où donc ? s'enquit-il sans comprendre de quoi elle parlait.

Un grand sourire fendit le visage de Lela.

— À New York ! Pour m'occuper du magasin !

— Tout est une question de style, expliquait Andrew tandis qu'ils montaient l'escalier incurvé menant à l'appartement de Béatrix.

Une fois de plus, il se trouvait au centre du trio, mais il était difficile de savoir qui soutenait qui. Tous les trois avaient trop bu, particulièrement le jeune homme.

— Target a un style. Saks Fifth a un style. Mais qui sait à quoi s'attendre avec Graves Department Stores ?

— Certainement pas moi, marmonna Béatrix en bataillant pour mettre sa clé dans la serrure.

— Exactement ! lança Andrew en entrant d'un pas chancelant. Nous ne sommes peut-être pas Saks, mais nous sommes bien au-dessus de Target. Nous devons communiquer notre identité au consommateur, notre marque de fabrique. Répandre notre style.

Ce disant, il lança son poing en l'air et faillit perdre l'équilibre. Lela le conduisit en riant jusqu'au grand canapé fleuri, où il s'écroula comme si ses os s'étaient brusquement liquéfiés.

— Nous avons commencé en installant des salons de thé dans nos magasins. Ils permettent aux femmes de rester plus longtemps, et donc d'acheter plus. C'était mon idée, d'ailleurs ! vociféra-t-il brusquement en se frappant la poitrine. Simon a dit que j'étais un génie.

— Tu es un génie, confirma Lela en posant un baiser sur son front. Et le parfum que tu as découvert sera aussi un grand succès.

— Y a intérêt, dit-il en fermant les yeux.

— À propos de thé, intervint Béatrix. Je crois que ce ne serait pas du luxe. Ou plutôt un café.

Heureusement, Lela resta avec Andrew. Béa avait besoin d'un moment de solitude. La proposition de son amie de s'occuper du magasin de New York l'avait prise de court. Jusqu'ici, Lela n'avait jamais gardé un travail plus de quelques mois, en dehors de son job free lance pour un magazine. Dès l'instant où elle n'avait pas besoin de se lever tous les matins et qu'il ne s'agissait pas d'une activité régulière, cela lui convenait. Lela était une adepte de la vie facile, dépourvue de contraintes. L'imaginer dirigeant un magasin, avec toutes les responsabilités qui en découlaient, était incongru.

Mais elle semblait en avoir vraiment envie.

— Pourquoi pas ? avait-elle dit quand Béatrix s'était étranglée avec sa crevette épicée. J'ai déjà travaillé dans la vente. Je connais la mode, les femmes. Je suis jeune, énergique, sympathique, et j'ai sans doute passé plus de temps à faire du shopping que n'importe qui d'autre dans cette pièce.

Naturellement, Philip était resté dubitatif. Il aimait bien Lela, mais dès qu'il s'agissait des affaires, il ne plaisantait plus.

— Envoie-moi là-bas en tant que vendeuse pour un mois, avait alors lancé son amie. J'étudierai la situation et à la fin du mois, je t'enverrai un plan d'activité et mes propositions pour remédier à la situation. Si cela te convient, tu m'engages. Sinon, je ne t'en voudrai pas.

— Faire passer des entretiens de recrutement vous prendrait au moins un mois, avait renchéri Andrew.

— Ce dont tu pourras toujours t'occuper pendant que je serai sur place, enchaîna Lela. Je ne veux pas que tu me serves un job sur un plateau, je veux une chance.

— C'est une offre équitable, appuya Andrew.

— Un mois, s'était alors incliné Philip. Plus un deuxième mois d'essai si tu es retenue.

Lela avait bondi de son siège en criant de joie, avant même que Béatrix ait pu donner son point de vue. Le poste ne l'intéressait pas, mais elle ne voulait pas pour autant qu'il revienne à Lela. Pas seulement par crainte de la voir échouer mais au contraire, parce qu'elle craignait qu'elle ne réussisse.

Sa réaction la consterna et l'emplit de culpabilité. Tout en versant le café dans la cafetière italienne, elle s'accusa d'être méchante et jalouse. Elle aurait dû être heureuse pour son amie, sa *meilleure* amie !

À sa place, jamais Lela n'aurait réagi ainsi.

Voilà pourquoi tu ne la vaux pas, lui murmura une petite voix intérieure. À aucun point de vue. Elle a toujours été plus belle que toi. Elle a toujours eu plus de charme, plus d'hommes et maintenant, elle mérite davantage le respect que toi.

Béatrix serra les dents en se promettant de ne jamais laisser deviner à son amie ses basses pensées. Elle se montrerait heureuse pour elle, au contraire, et lui cacherait ce côté mesquin dont elle avait honte.

Andrew était tellement soûl qu'il ne pouvait pas prendre un taxi pour rentrer à l'hôtel Meurice où il était descendu. Béatrix et Lela le laissèrent dormir sur le canapé, pendant qu'elles buvaient leur café. Elles bavardèrent, mais sans leur entrain habituel. L'une comme l'autre étaient préoccupées. Quand Lela étouffa un bâillement derrière sa main, Béa l'emmena dans la chambre d'amis et elles s'embrassèrent avant de se quitter.

— C'est bon de te revoir, dit Lela.

— Oui. Moi aussi, je suis contente que tu sois là.

Une fois seule – ou presque, puisque deux personnes dormaient sous son toit – Béatrix se coucha, croisa les mains sur son ventre et s'endormit.

Des rêves colorés, comme elle en faisait souvent, vinrent peupler son sommeil. Une rivière tourmentée aux eaux brunes coulait au milieu de pelouses verdoyantes. Une image commença à se former, celle d'une paysanne marchant dans le courant, vêtue d'une robe bleue qui dénudait ses jambes. Apparemment la grande sœur des deux enfants qui venaient d'apparaître à ses côtés…

Voguant dans ce pays onirique, elle n'aurait su dire combien de temps s'était écoulé quand une vague de chaleur sembla l'envahir tout d'abord au niveau des pieds, le long des jambes puis entre les cuisses, pour s'appesantir enfin sur sa poitrine. Une sensation réconfortante, excitante. Elle remua un peu et perçut le bruissement des draps. Des lèvres se pressèrent sur sa joue.

— Tu ne croyais tout de même pas que j'avais oublié ma promesse ? murmura une voix.

— Mmm, fit-elle en essayant de s'étirer.

Andrew. Étendu sur elle, tout nu, il lui immobilisait les bras. Il s'était douché, rasé et brossé les dents. Seule l'expression ensommeillée de ses yeux trahissait les signes de son ébriété. Béatrix se cambra malgré elle.

— Je croyais que je rêvais.

Il l'embrassa dans le cou.

— J'espère que c'était un rêve agréable.

— C'était... chaud.

— Moi-même, je me sens très chaud. Nous pourrions nous passer de ces draps, dit-il en les écartant.

Son sexe dur se retrouva contre sa cuisse. Il lécha le creux de son cou et pressa ses seins à travers le haut de pyjama d'homme en soie qu'elle portait.

— Je te trouve un peu trop habillée, non ?

Il déboutonna la veste sans se presser et la lui enleva sans rencontrer la moindre résistance. Dans son demi-sommeil, Béatrix n'avait pas retrouvé toute sa conscience. Elle détestait se montrer nue devant un homme, de peur que la déception ne se lise sur son visage en découvrant ses nombreux défauts. Mais il faisait noir, et résister à Andrew lui semblait peine perdue. Il savait ce qu'il voulait et il l'obtiendrait.

Dès qu'elle fut nue, il l'attira dans ses bras en s'emparant de ses lèvres et en faisant glisser ses mains sur sa peau. Son baiser s'enflamma peu à peu. Elle sentait son corps mince contre le sien, presque osseux, ses muscles durs. Il la serrait à l'étouffer, si bien qu'elle dut créer un espace entre eux en repliant un genou et en le repoussant.

— Quelque chose ne va pas ? s'étonna-t-il.

Pour toute réponse, elle saisit son sexe entre ses doigts. D'abord il sursauta, puis il soupira et se rendit à ses caresses. Alors elle le massa de haut en bas, de bas en haut, sachant ce qu'il aimait et disposée à le lui donner.

— Oh, ma douce… grogna-t-il en se laissant aller sur le dos.

En même temps qu'elle faisait monter son plaisir, il lui pinça les tétons avant de la ramener vers lui pour frotter son entrejambe en feu contre le sien.

Malgré sa nervosité, Béatrix sourit. De toute évidence, elle plaisait à Andrew. Alors elle reprit son membre et alterna les pressions et les effleurements. Au lieu de succomber, comme l'auraient fait la plupart des hommes, Andrew se tourna pour allumer la lampe de chevet.

— Je veux te voir, chérie.

Mais elle lui saisit le bras.

— Je t'en prie, ne gâche pas tout.

— Voyons, mon cœur… Un peu de lumière ne gâchera rien du tout. Tu es belle, exactement le genre de femme que j'aime.

— S'il te plaît. J'étais bien…

— Elle est timide, intervint alors une voix. Elle ne sait pas qu'elle est magnifique.

D'un seul mouvement, ils tournèrent la tête vers la porte.

Sous l'effet du choc, Béatrix retint son souffle pendant qu'Andrew se raidissait, comme s'il estimait que Lela choisissait mal son moment. Et bien qu'elle lui eût donné sa bénédiction, il ne s'attendait visiblement pas à ce qu'elle vienne le surprendre en pleine action.

— Lela… commença-t-il, prenant imperceptiblement l'attitude d'un conjoint fautif.

Elle entra, ses pas bruissant sur la moquette tandis qu'elle s'approchait.

— Ne vous inquiétez pas. Je suis seulement venue aider.

— Aider ? répéta Béatrix en remontant le drap sur sa poitrine.

L'ignorant, Lela posa quelque chose sur la table de nuit et fit craquer une allumette. À la lumière de la flamme, Béatrix découvrit une bouteille de cognac et le chandelier Louis XIV de sa grand-mère Sophie, en forme de trois nymphes soutenant les branches inclinées ornées de pampilles en cristal. Lela alluma les mèches blanches et versa un peu d'alcool dans un verre, qu'elle offrit à Andrew.

— Non merci. J'ai assez bu.

En revanche, après une brève hésitation, Béatrix l'accepta comme si ce qui allait suivre requérait un regain de courage. Elle le vida en trois gorgées et se mit à tousser. Andrew lui massa le dos pour la soulager, et ils attendirent que Lela leur explique les raisons de son intrusion.

— Voyons si nous ne pourrions pas améliorer l'image que cette fille a d'elle-même, dit-elle après avoir reposé la bouteille et le verre.

— Ah, d'accord, opina Andrew d'un air entendu.

Béa ne se sentait pas prête pour ce genre d'expérience mais Andrew ne semblait pas s'en soucier. Il tira les draps d'un coup sec et s'écarta du lit. L'espace d'un instant, Béatrix oublia son embarras, tant il lui parut splendide à la lueur des bougies. Son corps était mince et élancé, son érection émergeait fièrement de la toison dorée. Lela posa une main sur le ventre plat du jeune homme, doigts écartés, et tira la peau vers le haut pour mieux offrir son sexe à la vue de son amie.

— Tu vois l'effet que tu lui fais, dit-elle.

— Arrête ! C'est un coureur de jupons. N'importe quelle fille le mettrait dans cet état.

— Tu es blessante ! s'indigna Andrew. Et tu te trompes complètement. Je suis un fin connaisseur en matière de jupons, et sous les tiens j'ai découvert une déesse. Viens. Laisse-moi te montrer comment je te vois.

N'osant refuser de peur de paraître puérile, Béatrix se leva en rougissant tant elle se sentait lourde, affreuse, maudissant Lela silencieusement. Elle portait son soutien-gorge et sa culotte, *elle*. Des dessous délicats de soie orange qui mettaient en valeur ses hanches fines d'adolescente et les rondeurs parfaites de ses seins. Une poitrine aussi belle que celle d'Evangeline et de sa grand-mère Sophie qui ne s'étaient jamais gênées, toutes les deux, pour traiter Béa de « génisse irlandaise ». Une tare qui n'affectait en rien Lela. Elle avait des jambes de danseuse. Même ses pieds étaient gracieux et délicats. Se sentant plus moche que jamais, Béatrix croisa les bras sur sa poitrine.

Immédiatement, Andrew les écarta.

— Non, mon cœur. Tu n'as rien à cacher, crois-moi. Tes courbes sont féminines et tu as des seins magnifiques, affirma-t-il en titillant ses tétons avec ses pouces jusqu'à ce qu'ils durcissent.

Ses paumes étaient chaudes contre sa peau. Il les fit lentement glisser le long de son dos, jusqu'à ses fesses qu'il agrippa.

— Et puis, tu es musclée et ferme. Tu donnes envie que l'on te cajole, que l'on te câline… Je veux te toucher partout, te tripoter…

Ce disant, il joignait le geste à la parole tout en frottant son érection contre son ventre. C'était agréable, mais même s'il semblait sincère et le lui prouvait, Béatrix ne put s'empêcher de dire :

— Je suis grosse.

Cet aveu qu'elle n'avait jamais osé exprimer tout haut, ni devant sa mère ni devant ses amis, la fit presque sursauter. En même temps, quelque chose se brisa en elle et des larmes roulèrent sur ses joues, mais des larmes de plaisir, quasiment.

Immédiatement, Andrew l'attira contre lui et elle enfouit son visage au creux de son épaule.

— Tu es sexy, corrigea-t-il. La femme la plus sexy que j'aie jamais rencontrée.

Elle rit à moitié et il l'embrassa. Dès que sa bouche fut sur la sienne, elle sentit son désir renaître, prenant une conscience très vive de la chaleur de son corps, de la douceur de ses lèvres, de la tension des muscles de ses bras. Le cognac faisait courir du feu dans ses veines. Elle ne se souvenait pas d'avoir jamais été aussi excitée par un homme. Tout à coup, elle se sentait légère et forte. Quand la main de Lela descendit le long de sa colonne vertébrale, elle faillit éclater de rire. Qu'elle la caresse ! Que le monde entier la caresse ! Elle était belle, belle, et rien de fâcheux ne pouvait arriver.

Lela souleva ses cheveux pour l'embrasser sur la nuque.

— Tu es superbe, murmura-t-elle en se pressant contre son dos, lui faisant comprendre qu'elle était nue elle aussi, à présent.

— Oui, grogna Andrew lorsque Lela s'arc-bouta contre ses mains qui palpaient les fesses de Béatrix. Oui…

Ils se mirent alors à se lover, à se frotter contre Béa. Partout. Jusqu'à l'enivrer aussi puissamment que l'alcool. Au bout d'un moment, Andrew la souleva et la ramena sur le lit. Elle n'avait rien à faire, ils agissaient comme s'ils devinaient ses souhaits. Andrew lui attacha les poignets et les bloqua d'une main au-dessus de sa tête pendant que Lela lui peignait les poils du bas-ventre.

— Ne la touche pas là, dit Andrew. Ce petit volcan est à moi.

Lela ne discuta pas. Elle laissa glisser ses mains le long des bras de Béa, sur ses épaules, dans ses cheveux, pendant qu'Andrew mordillait les rondeurs de ses hanches, aspirait ses tétons entre ses lèvres. À un moment, leurs doigts remontèrent l'intérieur de ses cuisses, la faisant frissonner de plaisir mais sans jamais atteindre le point crucial. Explosif. Personne ne l'avait jamais fait languir de la sorte. Les hommes s'étaient toujours empressés de la faire jouir, impatients de jouir à leur tour.

Béatrix tremblait de volupté à présent. Son corps ondulait sous l'effet de la frustration. Des gémissements lui échappaient qu'Andrew saluait en souriant. Il adorait la tourmenter. Sa respiration devenait plus rauque, celle de ses partenaires aussi.

— Dis-lui ce que tu veux, murmura Lela d'une voix altérée. De quoi as-tu envie ?

— Je veux le chevaucher, rétorqua aussitôt Béa, ses inhibitions envolées. Je veux qu'il s'allonge sur le lit pour que je puisse le prendre.

Sa fougue fit rire Lela.

— Tu as entendu la dame, Andrew ? Conduis-toi en gentleman.

— Je me conduis toujours en gentleman.

Il détacha les poignets de Béa et roula sur le lit tandis que d'un mouvement vif, Lela s'installait au-dessus de lui, contre la tête de lit.

— Tiens-lui les bras, ordonna Béatrix. Il ne doit pas bouger tant que je ne le lui aurai pas permis.

Lela obéit et Béa contempla son prisonnier, immobile et superbe à la lueur des bougies. Elle lui écarta les jambes et massa la zone douce et duveteuse, sous son sexe. Andrew déglutit bruyamment.

La tentation était trop grande : elle se baissa pour goûter à son sexe tendu à l'extrême. Le goût lui plut, alors elle l'aspira avec un appétit grandissant, s'attardant sur l'extrémité, ce qui fit trembler le jeune homme. Ses plaintes la berçaient comme une musique. Quand elle se retira, il s'arc-bouta pour essayer de rester dans sa bouche mais elle fut intraitable.

— Ne bouge pas, dit-elle en s'allongeant sur lui jusqu'à ce que ses seins se perdent dans la toison de son torse.

Elle prit alors trois sachets d'accessoires indispensables dans le tiroir de la table de nuit et se mit à les examiner avec une nonchalance feinte.

— Voyons un peu… nervuré, goût menthe ou ultrafin ?

— Menthe ! s'exclama Lela en riant.

— Puis-je suggérer un vote ? proposa Andrew.

— Non, répondirent-elles d'une seule voix.

On aurait dit deux collégiennes en train de faire une blague, sauf que Béatrix n'en avait jamais fait de semblables !

— Celui-ci ! décida-t-elle en en choisissant un.

Tout en cachant le sachet dans sa main afin qu'il ne voie pas l'inscription, elle le passa sur un sein, puis sur l'autre, excitant ses tétons. Lorsqu'elle le fit glisser jusqu'au ventre de son prisonnier et l'y frotta, il gémit d'anticipation.

— Si tu devines lequel j'ai choisi, je te le mets avec ma bouche.

Andrew sourit avec une douceur inattendue.

— Tu savais lequel je préférais, c'est celui que tu as choisi. L'ultrafin.

Elle baissa la tête pour masquer son sourire. Il avait bien répondu, alors elle coinça le bord du sachet entre ses dents pour le déchirer et en sortit le préservatif. Elle tira légèrement l'extrémité qu'elle suça un instant, sachant que ce geste lui plairait, puis elle le posa sur son sexe et le fit glisser avec deux doigts.

— Menteuse ! s'exclama Lela. Tu avais dit avec ta bouche !

Béatrix lui tira la langue et se pencha vers le sexe d'Andrew, qui frémit sous la chaleur de son souffle. Prenant sa respiration, elle inspira profondément et le déroula avec la bouche. Puis elle se releva et plaça ses genoux de part et d'autre des hanches du jeune homme dont les bras étaient toujours immobilisés par Lela. Plus audacieuse que jamais, elle referma sa main en coupe autour de son pubis. Andrew se lécha les lèvres.

— Vas-y, murmura Lela qui ne plaisantait plus du tout. Baise-le.

Son excitation était contagieuse. Des pulsations voluptueuses mettaient le ventre de Béa en feu. Descendant doucement, elle appuya la moiteur torride de son sexe contre celui d'Andrew qu'elle insinua entre ses lèvres gonflées. Il émit un grondement sourd. Elle le saisit alors entre le pouce et l'index et le masturba. Il ferma les yeux et elle regarda Lela. Aussi rouge que lui, les paupières lourdes, elle respirait si fort que ses seins tressautaient tandis que ses pouces formaient des petits cercles au creux des poignets de son prisonnier, au rythme de la main de Béa. Un geste sans doute inconscient.

— Prends-le, l'incita-t-elle.

Ce rôle de voyeuse lui plaisait au plus haut point. S'empressant de la contenter, Béatrix se laissa glisser sur le membre tendu. Il entra en elle de tout son long et elle se pencha pour l'embrasser.

— Ma douce, tu es chaude... chuchota-t-il contre ses lèvres. Chaude...

Avec un sourire, elle entama un lent va-et-vient, ralentissant à dessein le mouvement alors qu'il donnait des coups de reins pour l'inciter à accélérer.

Sans effet.

— Tu es cruelle.

— Tu trouves ? le taquina-t-elle. Tu veux que j'aille plus vite ?

— Oui. Et plus fort. Je veux que tu te souviennes de moi demain.

Ses paroles, sa voix rauque la galvanisèrent. Excitée comme elle l'était, il suffisait de peu de chose pour qu'elle franchisse le pas.

Elle le fixa droit dans les yeux. Leurs souffles se mêlèrent et leurs corps s'emballèrent. S'imbriquèrent à un rythme de plus en plus fou. Leur peau se couvrit de sueur. Leurs cris se confondirent et Béatrix succomba la première à un orgasme dont les vibrations se propagèrent chez Andrew en une succession d'ondes de feu.

— Oh, oui… oui… dit-il en lui empoignant les fesses.

Et tandis qu'elle continuait de jouir indéfiniment, il glissa les mains sous ses fesses et accentua ses coups de reins pour la rejoindre.

— Il ne va pas pouvoir tenir longtemps, commenta Lela, fascinée. Il est au bord.

S'efforçant de retarder le moment suprême, il contrôla sa respiration puis immisça ses mains entre les jambes de Béatrix. Ses deux pouces trouvèrent le clitoris. L'un entreprit une petite valse à l'extrémité et l'autre, la même chose mais en sens inverse et tout en bas. Une sensation incroyable la saisit peu à peu telle une spirale ascendante. Elle ferma les yeux en s'accordant à son rythme.

— Oui, murmura-t-il. Oui…

Engouffrés dans le même rêve débridé, tous les trois respiraient d'un même souffle à présent. Béatrix entendit vaguement les oreillers bruisser quand Lela s'avança. Elle rouvrit les yeux en sentant des lèvres sur ses seins. Une extrémité fut aspirée avec une douceur extrême, inhabituelle. C'étaient les lèvres de Lela, qui avait mis son sexe sur la bouche d'Andrew. Béa s'accrocha alors à ses épaules alors que les doigts de son amie lui pinçaient les tétons puis qu'un autre glissait sur son clitoris. Des sensations inouïes l'étourdirent comme un flash de lumière.

D'autres succédèrent jusqu'à l'explosion qui la souleva par vagues, encore et encore, des vagues qu'elle ne pouvait arrêter. Andrew se déhanchait beaucoup plus vite. Elle éprouvait des fourmillements indescriptibles au creux du ventre, dans les reins, le long du dos tandis qu'il jouissait à son tour avec la même violence. Lela murmurait des paroles incompréhensibles à son oreille et, l'instant d'après, son corps se tendit à son tour et elle les rejoignit dans l'extase.

La tempête se calma. Seuls leurs halètements troublaient le silence.

Béatrix n'osait pas ouvrir les yeux. L'embarras l'envahissait au fur et à mesure que le plaisir déclinait. Lela lui avait embrassé les seins, en avait pincé les pointes. Elle avait joui dans ses bras.

Et à présent, elle lui caressait doucement le bas-ventre tout en la câlinant.

— Tout va bien, dit-elle, devinant la gêne de son amie. Tout va bien.

Mais non, cela n'allait pas.

— Ce n'est rien, insista Lela en prenant son visage dans ses mains pour la forcer à la regarder. Nous venons simplement de partager un plaisir, comme nous l'aurions fait d'une bouteille de vin. Ça ne signifie pas que cela se reproduira ou que je veuille recommencer. Simplement… les mots ne suffisent pas à exprimer combien je t'aime. C'est tout, Béa, c'est tout.

Béatrix déglutit avec peine.

— Moi aussi, je t'aime.

Mais ces paroles manquaient de conviction.

— Bon, intervint Andrew qu'elles avaient oublié. J'espère que quelqu'un m'aime assez pour se lever ?

Une fois Lela partie, il resta avec elle et la garda dans ses bras, étroitement enlacée. Quand Béatrix suggéra que son amie attendait peut-être sa compagnie, il se contenta de l'embrasser sur la tempe et de l'attirer plus près.

— Je ne l'ai pas invitée à se joindre à nous, dit-il. Remarque, j'y ai pris du plaisir, mais elle est venue de son propre chef.

Lela était-elle responsable du malaise de Béatrix ? Sa nuit avec Andrew aurait-elle été aussi agréable sans elle ? Impossible de le savoir.

Peut-être le problème était-il là, justement : Lela était pour une grande part dans ce qui était arrivé. Elle lui avait insufflé le courage qui lui manquait, et elle se demandait si elle aurait attiré Andrew sans sa présence. Son amie lui avait fait un cadeau, en quelque sorte.

Et ce n'était pas du tout d'un cadeau dont elle avait besoin.

4

Debout près de la fenêtre, Philip buvait une bière allemande brune. Les tentures centenaires dégageaient une odeur qu'elles ne perdraient jamais : parfums de femmes, cigarettes françaises, trois générations de poussière accumulée. Leur couleur indescriptible hésitait entre le crème, l'argent, le rose. Elles lui donnaient envie d'aller fouiller dans les coupons de tissus pour en trouver un semblable, et de sortir son mannequin de couturier avec des épingles.

Ce désir était un peu douloureux. Il le remisa dans un coin de son esprit en contemplant l'avenue Foch. La circulation était irrégulière. Les lumières magiques de la ville scintillaient. Sors, viens te divertir, semblaient-elles lui dire à travers les carreaux épais. Tu ne te souviens pas combien tu t'amusais, avant ?

Philip était tenté. Il détestait cet appartement, la nuit. Il ne l'aimait pas beaucoup le jour non plus, d'ailleurs. Mais la nuit, c'était pire. Même les souvenirs heureux qui s'y rattachaient étaient ternis par la façon dont les choses s'étaient terminées. Tous ces détails sordides publiés dans les journaux, les journalistes révélant sa carrière de styliste raté, son mariage qu'ils soupçonnaient être arrivé à point nommé, étalant la différence d'âge entre Ève et lui.

Et comme si cela ne suffisait pas, ils avaient aussi interviewé les amants d'Ève.

Il avala une nouvelle gorgée de bière. D'une manière confuse, il avait su qu'elle avait des amants dès la deuxième année après leur rencontre. Au début, Ève avait nié, puis elle lui avait avoué ne pouvoir s'en empêcher, et pourquoi se plaignait-il puisqu'elle lui revenait toujours ?

Lui-même avait eu quelques maîtresses, par dépit, mais son travail lui laissait peu de temps pour la bagatelle. En outre, Ève restait la femme la plus sexy de toutes – insupportable, mais terriblement excitante – et le meilleur mentor dont on puisse rêver. L'ami de Lela avait affirmé que Simon Graves avait fait de lui un homme d'affaires. Pour Philip, c'était Ève qui lui avait tout appris dans ce domaine.

Chaque fois qu'il se brouillait avec l'une de ses conquêtes, Ève se plaisait à le taquiner en disant :

— Maman s'y prend mieux, n'est-ce pas ?

Elle minaudait alors, passant ses longs ongles rouges sur sa poitrine. « Maman », c'était elle. Parfois, elle se montrait dure au lit, mais cela signifiait qu'il l'avait vraiment blessée, pensait-il. Qu'il ne lui était pas indifférent. S'il l'avait laissé tomber, les gens l'auraient accusé de ne pas avoir su l'aimer.

Il commençait à se demander si ce n'était pas le contraire. Appuyant son front contre la vitre fraîche, il se remémora les paroles de Béa…

— *Maman t'a épousé pour ta belle gueule et pour ta queue de vingt ans dure comme le roc.*

Il s'était fait des illusions, et la clairvoyance de sa belle-fille, qui semblait avoir compris dès le début, était encore plus humiliante que tout ce qu'il avait pu lire dans la presse.

Sa main s'était raidie et il posa sa bière sur le rebord de la fenêtre. Cette boisson n'avait rien à voir avec ce qu'il buvait quand il était jeune homme, ni même avec ce qu'il buvait avec Ève. Elle, c'était le champagne, des noms qu'il ne pouvait même pas prononcer, malgré son français courant.

S'il avait eu un minimum de bon sens, il aurait téléphoné à des amis et serait sorti faire la tournée des bars. Avec un peu de chance, il aurait trouvé une Française pour finir la nuit. Malheureusement, il ne voyait plus ses amis depuis longtemps.

Il avait besoin de se changer les idées. Il avait besoin d'une bonne partie de jambes en l'air dont il n'aurait pas à s'excuser. Après tout, il y avait de grandes chances pour que sa belle-fille ne dorme pas toute seule, alors…

Il trouva ce qu'il cherchait derrière le Moulin Rouge, loin des cars à touristes et des néons rouges. Grande, la poitrine plantureuse, elle fumait une cigarette, une jambe repliée et un pied déchaussé posé contre le genou, à la façon d'une cigogne. Son autre pied était chaussé d'un escarpin rouge à talon aiguille, sans doute la cause de son inconfort. Sa gabardine ne laissait rien voir de sa tenue, mais son maquillage outrancier indiquait qu'elle faisait partie des filles de la revue.

— La soirée est finie ? demanda-t-il en anglais.

Elle tourna les yeux vers lui et l'étudia à travers un nuage de fumée. Il portait le vieil imper qu'il mettait quand il faisait la tournée des pubs, une chemise en coton blanc ample et un jean usé confortable. Il avait gardé la ligne et ses anciens vêtements lui allaient toujours. Une ex-petite amie se plaisait à dire autrefois qu'il était une menace pour la sécurité publique. Espérant qu'il l'était toujours, il arbora son sourire le plus charmeur.

— Oui, j'ai fini, répondit-elle, sur ses gardes mais pas effrayée. Je ne fais pas la troisième séance.

Elle se massa la plante du pied.

— Comment saviez-vous que je parlais anglais ?

Il s'approcha d'elle.

— Aucune des filles qui dansent ici n'est française. Les Parisiennes ont oublié le french cancan.

— Ce n'est pas vrai, dit-elle en souriant à son tour.

Elle était américaine, peut-être même une véritable artiste de Las Vegas venue goûter au « gai Paris ». Elle le détailla de la tête aux pieds, visiblement satisfaite d'avoir attiré un homme comme lui et désireuse de montrer l'intérêt qu'il suscitait chez elle. Après avoir tiré une dernière bouffée de sa cigarette, elle la jeta dans l'allée puis, les mains libres, massa son pied douloureux avec une sensualité troublante. Philip remarqua qu'elle ne portait pas de collants. Ses jambes étaient nues sous l'imper, musclées et blanches.

— Laissez-moi faire, dit-il en saisissant son pied sans attendre sa permission.

Il était froid, mais il le réchaufferait. Il s'y connaissait en pieds de femmes, il savait combien ils pouvaient être malmenés malgré leur grande sensibilité. Celui de cette danseuse avait des orteils recourbés et pleins de durillons, mais ils n'étaient pas déformés. Elle gémit de plaisir lorsqu'il se mit à le masser d'une main experte, et sa réaction excita Philip.

— Cela devrait être interdit, murmura-t-elle.

Tout naturellement, il lâcha son pied et l'embrassa sans rencontrer la moindre résistance. Au contraire, elle se laissa aller contre lui. Elle sentait la cigarette et le parfum Émeraude de Coty. Sans interrompre le baiser, elle posa une main sur son torse. Croyant qu'elle voulait le repousser, il allait s'écarter quand elle le retint en s'enhardissant, au contraire. Sa main descendit lentement vers son ventre et se referma sans hésitation autour de son sexe déjà durci.

— Tu ne perds pas de temps, pas vrai ? dit-elle d'une voix rauque de fumeuse.

— Pas quand je suis dans cet état.

Sa réponse sembla lui plaire car elle le caressa jusqu'à ce que son érection soit au maximum sous le jean. Il commença à onduler des hanches.

— Tu veux m'accompagner chez moi ? minauda-t-elle.

— Bien sûr.

Ils marchèrent bras dessus bras dessous dans les rues étroites, loin des touristes et des clubs de jazz ouverts toute la nuit. Leurs doigts ne cessaient de s'entrecroiser dans ce langage universel du désir, plein de promesses muettes. Ils ne parlaient plus : leurs corps prenaient le relais.

La pluie du début de soirée avait mouillé la rue et un brouillard estompait les contours des choses. Leurs pas produisaient des petits bruits secs sur les pavés. Quand ils atteignirent la rue Lepic, Philip s'aperçut qu'ils étaient tout près de l'appartement de Béatrix.

Cette coïncidence l'irrita, mais il ne s'y attarda pas. Soudain impatient, il attira la femme dans un passage étroit situé entre une boulangerie et un magasin de fruits et légumes. Il la plaqua contre un mur.

— Je veux te prendre ici, dit-il. Tout de suite.

Elle haussa les sourcils et son sexe durcit encore. Il écrasa sa bouche sur la sienne et la sentit se tendre contre lui.

L'immobilisant sous son poids, il glissa ses mains sous l'imperméable, découvrant une jupe sur un corps de danseuse.

La fille gémit lorsqu'il insinua un doigt dans son entrejambe déjà mouillé, mais elle tourna la tête.

— Quelqu'un pourrait nous voir.

— Oui, cela se pourrait, admit-il avec une excitation grandissante.

Il recula d'un pas et déboutonna le bas de sa chemise, sous le regard stupéfait de la femme qui se demandait s'il allait vraiment oser se déshabiller ici. Il défit le bouton en métal de son jean.

— Tu es fou, dit-elle.

Mais visiblement, cette folie l'enchantait.

Quand il dégagea son érection, elle se détendit, oubliant apparemment qu'on risquait de les surprendre. Lentement, il fit rouler la peau le long de son pénis, sous son regard fasciné. C'était bon, et il continua jusqu'à ce que son désir commence à perler.

— Oh, mon Dieu... dit-elle dans un souffle, toute rouge sous son maquillage. J'espère que tu as de quoi couvrir cette petite merveille.

— Bien sûr.

Il prit le préservatif dans la poche arrière de son jean et le déroula sur son sexe. Dès qu'il eut fini, elle se mit à le caresser.

— Tu le veux ?

Elle hocha la tête sans cesser de le toucher. Philip déboutonna son imperméable et l'écarta. Elle avait une poitrine pleine, une taille de guêpe, des hanches engageantes. Ses yeux soulignés d'eye-liner argent et frangés de faux cils recourbés brillaient d'anticipation. Ses seins se soulevaient au rythme de sa respiration saccadée, et leurs pointes durcies l'invitaient à aller plus loin. Elle était prête.

Il souleva sa jupe et vit ses poils à travers le fin coton de sa culotte blanche.

— Dis-moi que tu le veux, insista-t-il d'une voix teintée d'une dureté inhabituelle.

— Devine...

Il tira sur la culotte qui se déchira, et elle réprima un éclat de rire en empoignant elle-même sa jupe pour la garder soulevée.

— Viens, maintenant ! ordonna-t-elle.

Il la pénétra d'un coup de reins, et elle exhala une plainte rocailleuse. Pris de frénésie, il se mit à aller et venir avec fougue, incapable de réprimer sa hâte.

Heureusement, sa partenaire semblait partager cette ardeur. Elle s'accrocha à son cou et noua les jambes autour de sa taille.

— Oui, oui... se mit-elle à gémir sans retenue.

Apparemment, elle ne craignait plus que quelqu'un les surprenne. Ses cris le rendaient fou. Il lui saisit plus fermement les fesses et amplifia le mouvement.

Toutefois, il ne perdit pas la notion de la réalité un seul instant : il était en train de trousser une inconnue en pleine rue, contre un mur, pantalon baissé. À deux pas de l'appartement de Béa. L'orgasme montait tel un torrent furieux.

Mais il fallait qu'il se dépêche. N'importe qui pouvait arriver d'un moment à l'autre.

— Oui, grogna la femme.

Heureusement, elle était tellement trempée que cela facilitait le mouvement. Il sentait les muscles de ses fesses se contracter sous ses doigts. Soudain, elle se déhancha de sorte que son clitoris le frotte au passage.

Elle jouit violemment, puis il se laissa aller à son tour dans une série de spasmes.

Ensuite, ils restèrent pantelants contre le mur, couverts de sueur. Quand il voulut se retirer, elle glissa une main sur sa nuque et ses ongles lui parurent d'une froideur incongrue.

— Étant donné ta performance, cela n'a pas d'importance, mais… qui est Béa ?

Oh, Seigneur… songea Philip en repliant un bras devant ses yeux.

Béatrix était seule dans son lit.

Et quelqu'un était en train de faire frire du bacon.

Un rayon de soleil lui réchauffait les joues, à travers la fente des rideaux en chintz rose et jaune. Elle se frotta le nez et referma les yeux. La rivière qu'elle venait d'entrevoir dans son rêve demeurait présente à son esprit. Non, ce n'était pas une rivière, mais un canal bordé d'un chemin de halage semé d'ornières, de rives couvertes d'une herbe épaisse où poussaient des fleurs sauvages butinées par des libellules. Tout autour s'étendait une forêt sombre. Elle se concentra pour tenter de se souvenir plus précisément de la vision. Une brume mordorée planait sur les eaux dormantes, poudrée de soleil et chargée des senteurs de l'été.

Il me faut mon carnet de croquis et mes pastels, se dit-elle.

Les yeux embués de sommeil, elle se leva et fouilla dans sa table de nuit. Elle trouva un bâton de fusain, mais pas de carnet. Elle se rendit alors dans la salle de bains pour voir si elle ne l'y avait pas laissé. Sa vision s'éclaircissait peu à peu, mais la tête lui tournait. L'image de son rêve la poursuivait, elle devait la dessiner immédiatement et la garder intacte, sans laisser d'autres pensées la perturber.

Elle traversa la cuisine, ignorant le bonjour de Lela. Où était donc ce fichu carnet ? Elle le trouva enfin avec ses pastels dans l'office, à côté de la rôtissoire jamais utilisée. Comment avait-il pu atterrir là ? À cause de la lumière particulière de la pièce, songea-t-elle, éclairée par une ampoule et surtout, une fenêtre. Elle s'installa par terre et se mit au travail, dans l'intention de se contenter d'une esquisse et de quelques notes.

Mais pendant de longues minutes, elle s'abîma dans son dessin, coupée du monde. Sa composition se précisait avec des bruits de vaisselle et le grésillement du bacon dans la poêle en fond sonore. Il y avait une jeune fille. Elle voyait sa robe de grosse toile bleue comme si elle était là. Elle était sûre de la couleur. Bleue imprimée de fleurettes blanches. La scène se situait juste après la Seconde Guerre mondiale. Elle nota mentalement de se rendre au musée de la Mode pour vérifier que la tenue correspondait.

Le regard de son sujet était assombri par la mort et les horreurs qui avaient marqué cette période. Ses joues pâles étaient creusées. Elle était trop jeune pour avoir vu tant de violence, et trop vieille pour oublier. Cependant, elle souriait à son petit frère et l'on devinait sa force qui demeurait malgré tout. On devinait que la petite famille survivrait.

Béatrix dessinait fébrilement. Le fusain grattait le papier, faisant naître des formes fantomatiques. Puis les pastels s'y mettaient, se mélangeaient jusqu'à ce que les couleurs qui peuplaient son esprit prennent forme. Elle ne parvenait pas à rendre l'expression du petit garçon. Peut-être irait-elle se promener au jardin des Tuileries, aujourd'hui, afin d'observer les enfants qui jouaient.

Elle tourna la page pour tenter une dernière fois de représenter le garçon, mais elle s'aperçut que l'inspiration était passée. Tout à coup, elle prit conscience de la dureté du sol, des crampes qui rendaient ses jambes croisées douloureuses et de son comportement grossier envers ses hôtes, même si Lela était habituée à ses absences imprévisibles.

Maintenant qu'elle reprenait pied dans le réel, leurs voix lui parvenaient nettement depuis la cuisine. Ils étaient en train de manger, mais apparemment, ils ne se rendaient pas compte qu'elle était aussi près d'eux.

— C'est du feu qui brûle entre ces deux-là, disait Andrew, la bouche pleine. Si Philip et elle continuent à rougir autant dès qu'ils sont ensemble, il va falloir un tuyau d'arrosage pour rafraîchir l'atmosphère !

— Ce n'est pas nouveau, soupira Lela. Tout au moins en ce qui concerne Béa. Je ne sais pas ce qu'il en est pour lui. Je crois qu'il souffre du syndrome du veuf en manque. Avant son mariage, c'était un homme à femmes.

— Non ! Si c'était le cas, il te regarderait de la même manière, mais c'est elle qu'il veut.

— Mmm, fit Lela, dubitative.

— Il a l'intention de mettre le feu au lit avec elle, j'en suis sûr, chérie. Quand un homme est en rut, je le sens.

— Toi et ton nez !

Il y eut un bruit de verres, puis de liquide que l'on versait.

— En tout cas, si tu as raison, cela pourrait engendrer des problèmes, reprit-elle.

— Pourquoi ? D'accord, c'est son beau-père mais la différence d'âge est minime. Et puis, nous sommes en France.

— En France peut-être, mais dans le monde de la haute couture, les rumeurs vont vite. Tout le monde sait qu'il était le gigolo d'Ève. S'il se mettait avec sa fille qui possède la moitié de l'héritage, il perdrait toute crédibilité. Je ne suis pas sûre que leurs affaires survivraient.

Ces paroles tombèrent comme des blocs de pierre sur la poitrine de Béatrix. Elle serra le carnet de croquis contre elle et ferma les yeux. Elle le savait. Elle l'avait toujours su. Mais les inquiétudes de Lela étaient sans fondement. Philip ne rougissait pas parce qu'il la désirait, mais parce que la conduite qu'elle avait eue sous son bureau l'avait profondément choqué.

Phil le beau gosse avait envie d'elle ? Cela se saurait, tout de même.

Elle prit son petit déjeuner pendant que Lela préparait du café. Andrew avait tenu à faire la vaisselle malgré les tentatives de Béa pour l'en empêcher, puis il était parti s'habiller. Il réapparut peu après, nouant sa cravate tout en se penchant pour embrasser Lela sur la joue.

— Cela me fend le cœur, mesdemoiselles, mais je dois vous laisser. Je prends le train pour la Provence.

Lela redressa le nœud de cravate qu'il venait d'achever.

— Pour ton parfum ?

— Exactement. Je vais sentir les derniers échantillons, fouler les champs de lavande et plonger ma tête dans les cuves de l'usine.

— Ne tombe pas dedans, le taquina-t-elle.

— Sûrement pas.

Il contourna la table pour faire ses adieux à Béatrix.

— Merci, Béa, dit-il en prenant son visage entre ses mains. Je suis heureux de t'avoir rencontrée, et j'aimerais beaucoup te revoir à mon retour.

Ses yeux pétillaient dans son beau visage doré par le soleil. Quel homme attirant, songea Béatrix, ne parvenant pas à croire qu'il était sincère.

— J'aimerais te revoir aussi, murmura-t-elle.

Il eut un grand sourire puis l'embrassa sur les lèvres, longuement, insinuant sa langue dans sa bouche jusqu'à ce qu'une onde de chaleur la parcoure tout entière.

— Au revoir, dit-il, satisfait de l'avoir troublée.

Béatrix posa ses doigts sur ses lèvres en le regardant partir.

Lela et elle se retrouvaient seules.

— Alors ? fit Lela en portant sa tasse à ses lèvres.

Alors... Béatrix aurait bien aimé éviter cette confrontation. Mais puisque c'était impossible, elle rassembla son courage car elle n'avait pas l'intention de fuir. Elle écarta son assiette, remplit sa tasse de café et versa une goutte de crème sur sa cuillère.

— Tu l'avais déjà fait avant, non ? s'enquit-elle. Avec des femmes, je veux dire.

— Une ou deux fois, oui, admit Lela avec une grimace. Oh, ne fais pas cette tête ! Une seule fois ne fait pas de toi une lesbienne !

— Et toi ?

— Tu veux savoir si je suis lesbienne ? Béa, avec combien d'hommes m'as-tu déjà vue ?

— Tu es bisexuelle, alors ?

— Tu sais bien que je n'ai jamais aimé être étiquetée.

— D'accord, cela ne me regarde pas.

— Tu as raison. Ce ne sont pas tes affaires.

Béatrix l'avait déjà entendue employer ce ton glacial, mais jamais contre elle. Embarrassée, elle comprit que Lela la prenait pour une hypocrite, et elle avait peut-être raison. Elle n'avait pas détesté ce qu'ils avaient fait tous les trois, alors de quel droit jugerait-elle son amie si elle couchait avec des femmes ? Pourtant, le fait qu'elle ne lui en ait jamais parlé la rendait mal à l'aise, comme si elle découvrait qu'elle ne la connaissait pas vraiment.

— Écoute, reprit Lela en s'approchant d'elle et en lui frottant les épaules. Cela nous est arrivé une fois et ne se reproduira plus. Disons que ce fut une expérience unique qui appartient désormais au passé.

Béatrix se contenta de hocher la tête, mais cela suffit à Lela qui lui donna un petit coup de poing sur le bras.

— Voilà ! Maintenant, dis-moi tout ce que tu sais sur la façon de diriger une boutique de mode.

5

Bien qu'Andrew lui ait dit qu'il voulait la revoir, Béatrix ne s'attendait pas à ce qu'il la rappelle aussi vite. Quand elle entendit sa voix, son cœur bondit – pas de la même façon que lorsqu'il s'agissait de Philip, d'accord, mais tout de même.

Ils prirent rendez-vous dans un café près du Trocadéro. Arrivée la première, Béa choisit une table en terrasse et commanda un café. Elle n'aurait pu choisir meilleur endroit. Il offrait une vue superbe sur la tour Eiffel et, entre les arbres, on devinait la fontaine du Trocadéro.

Après avoir passé la matinée à dessiner des costumes au musée de la Mode, elle était de bonne humeur. Son seul regret était de ne pas avoir choisi de chaussures assez confortables. Mais pourquoi voulait-elle s'habiller pour Andrew ? Il n'allait pas devenir son petit ami, il n'était qu'un flirt.

Quoi qu'il en soit, elle savait qu'il remarquerait ses efforts pour lui plaire, alors elle avait revêtu une jolie robe dans les tons lilas avec un petit boléro assorti, sans doute trop court et trop fin pour une fille comme elle, mais elle adorait la sensation qu'elle éprouvait à le porter. Elle avait acheté cette tenue par l'intermédiaire de *Meilleurs Amis*. D'exquises broderies de perles représentant des entrelacements de feuilles achevaient de rendre le haut irrésistible.

Meilleurs Amis avait conclu un accord avec le fournisseur afin que jamais il n'y ait deux vêtements identiques.

Avec un sourire rêveur, elle caressa les minuscules perles en songeant combien elle aimait porter des exclusivités. Elle était peut-être bien la fille de sa mère, finalement…

Une tête blonde familière apparut sous le parasol qui ombrageait sa table.

— Bonjour, bonjour ! lança-t-il gaiement en l'embrassant sur les joues, puis sur les lèvres, avant de s'installer en face d'elle. Tu es magnifique ! Je suis en retard ?

— Pas du tout, mentit-elle car il l'était un peu. J'ai fini plus tôt que prévu, ajouta-t-elle en tapotant son carnet de croquis.

Il écarquilla les yeux avec une curiosité exagérée.

— Tu sais quoi ? Tu me montres ton travail et je te montre le mien.

— Tu as trouvé ton parfum ?

— J'ai des échantillons, dit-il en fouillant dans sa sacoche. Voilà. Donne-moi ton poignet. J'aimerais essayer celui-ci sur la peau d'une femme réelle.

— Ils n'ont que des femmes imaginaires en Provence ?

Il sourit de sa plaisanterie, puis aspergea un petit nuage de parfum sur son bras. Une senteur vanillée aux accents d'agrumes et de cannelle s'éleva.

— Mmm… on en mangerait.

— C'est mon préféré, avoua Andrew avec un grand sourire. Je rapporte trois autres compositions à mon employeur, mais je tenais à essayer celle-ci sur toi.

Il lui prit le bras et approcha son nez pour humer la fragrance. Un agréable frisson parcourut la jeune femme. Cet homme était vraiment sexy, songea-t-elle. Comme pour le lui prouver, il posa ses lèvres chaudes au creux de sa paume.

— J'aurais adoré embrasser un endroit plus secret de ton corps, mais malheureusement, j'ai des réunions cet après-midi.

Béatrix n'aurait pas été surprise que ces réunions soient d'ordre charnel. Elle porta sa main à ses lèvres et baisa chacun de ses doigts, avant de sucer le bout du dernier. Il retint sa respiration et elle s'enhardit.

— Cela ne me dérange pas d'attendre, dès l'instant où tu en vaux la peine.

Il gémit doucement en avançant sur le bord de sa chaise. Ses genoux heurtèrent les siens.

— Tu me mets dans un état indescriptible. Ton attente ne sera pas déçue, crois-moi.

Mais Béatrix préféra vérifier tout de suite qu'il disait vrai et glissa une main sous la table.

Philip s'apprêtait à faire un signe à Béa et à lui proposer de déjeuner avec lui quand il se figea sur le trottoir, soudain glacé. Deux jours avaient passé depuis son intermède de débauche avec la danseuse et il ne s'en était toujours pas remis. Dans l'intention de recouvrer ses esprits, il avait pris sa matinée pour visiter son musée favori. Les dessins de Balenciaga l'avaient tellement fasciné qu'il en avait oublié ses écarts, et cette rencontre imprévue avec sa belle-fille l'avait réellement enchanté.

Jusqu'à ce qu'il s'aperçoive qu'elle n'était pas seule.

Et qu'elle ne partageait pas seulement un café avec cet Américain, loin de là.

Elle avait glissé sa main sous la table et ce n'étaient pas ses genoux qu'elle était en train de tâter. La lueur dans les yeux de son compagnon et la rougeur de ses joues étaient éloquentes. Tressaillant de plaisir, l'Américain lui prit le menton et lui murmura quelque chose à l'oreille qui la fit rire, de ce rire qui n'appartenait qu'à elle. Grave, un peu rauque et triomphant.

Philip ne l'avait entendue qu'une seule fois rire ainsi, quand toutes ces complications avaient commencé, en fait. Et voilà qu'elle riait de la même manière avec un autre !

Il fut pris d'un accès de fureur. Béa ne devait pas toucher cet homme. Elle ne devait pas toucher qui que ce soit !

Il faisait un pas dans l'intention d'intervenir lorsque l'Américain attrapa une serviette. Pour la deuxième fois, Philip demeura cloué sur place. Il n'en croyait pas ses yeux. Cet homme allait jouir ! Béa avait dû le caresser plus intimement qu'il ne l'avait cru. Leurs têtes se rejoignirent. Ils se parlaient comme deux amants partageant un secret. Elle souriait. Lui se mordait les lèvres. Elle murmura quelque chose de sexy apparemment, car il enfouit son visage dans son cou.

Le serveur arriva en plein milieu de cet échange, mais sans se démonter le moins du monde, Béa dit :

— L'addition, s'il vous plaît.

L'homme tourna aussitôt les talons, un petit sourire aux lèvres. Ils avaient une chance folle qu'aucun des autres consommateurs ne se soit aperçu de rien.

Philip ne pouvait tolérer un comportement aussi inconvenant. L'espace d'un instant, le souvenir de sa propre conduite menaça de tempérer ce sentiment, mais tout de même, on était en plein jour ! Dans un endroit public ! Béa devait avoir perdu la tête. D'un pas résolu, il se faufila entre les tables et regarda sa belle-fille droit dans les yeux en ignorant l'Américain.

— Tu ne crois pas que cette famille a enduré assez de scandales ? jeta-t-il de son ton le plus british et le plus glacial.

Comme on pouvait s'y attendre, Béa refusa de perdre la face. Elle se lécha le pouce, celui qui une seconde plus tôt était sur le sexe de l'autre, et posa son menton sur sa main. Les joues de Philip virèrent au rouge pivoine.

— Le seul scandale, c'est celui que tu es sur le point de causer, rétorqua-t-elle.

Philip était sur le point de s'étrangler. Si Béatrix n'avait été aussi furieuse, elle aurait ri.

— Tu es… tu es… insupportable !

— Chérie, essaya de tempérer Andrew.

Il boutonna sa veste avant de se lever, puis se baissa pour l'embrasser sur la joue.

— Je crois que vous avez des affaires personnelles à régler. Je t'appelle ce soir.

— Certainement pas, lança Philip, contenant sa rage à grand-peine.

Andrew lui répondit par un sourire suave, toucha un chapeau invisible en signe d'au revoir et s'éloigna. Béatrix le suivit des yeux ou, plus exactement, elle suivit ses fesses des yeux jusqu'à ce qu'il disparaisse au coin du bâtiment. Elle se tourna ensuite vers celui qui se conduisait soudain comme son tuteur.

— Tu vas rester longtemps planté là, à me dévisager de cet œil noir ? Assieds-toi et calme-toi.

— Je n'ai pas l'intention de parler de ça ici.

— Dans ce cas, nous n'en parlerons pas du tout.

— Oh que si ! Même si je dois t'emmener de force.

Béatrix l'avait déjà vu en colère, mais jamais à ce point. Son visage était congestionné, le tour de sa bouche blanc. Il croisa les bras d'un geste ferme et éloquent. Il n'avait pas l'air de plaisanter et d'un côté, sa menace n'était pas entièrement pour lui déplaire. Soupirant, elle jeta quelques pièces sur la table et se leva.

— Ton appartement est plus près. Allons-y.

Il lui saisit le bras.

— Ce n'est pas mon appartement, mais celui de ta mère.

L'instant d'après, ils s'installaient à l'arrière d'un taxi qu'ils eurent la chance de trouver sur l'avenue.

La portière était à peine refermée que Philip engageait les hostilités.

— Comment as-tu pu caresser cet homme alors que tout le monde pouvait te voir ?

Elle avait du mal à garder son sérieux quand il adoptait ce ton compassé. Se laissant aller contre le dossier, elle croisa les jambes.

— Tu es jaloux ?

— Bien sûr que non !

Mais il évitait son regard. Tourné vers la vitre, il regardait les colonnes du palais de Chaillot défiler. Intriguée par sa réaction, elle baissa les yeux… et découvrit le renflement révélateur d'une érection sous son pantalon. Tiens, tiens, ce qu'il avait vu l'avait donc excité…

Andrew avait peut-être raison lorsqu'il affirmait qu'il en pinçait pour elle.

— Tu *es* jaloux, insista-t-elle, cette découverte lui montant à la tête comme des bulles de champagne.

Elle plaça une main sur la cheville qu'il avait posée sur sa cuisse et l'obligea à décroiser les jambes, de sorte que son excitation ne fasse plus aucun doute.

— Tu aurais préféré être à sa place.

Il écarta sa main.

— Ne sois pas idiote. Je serais fou de vouloir une chose pareille.

Ce n'était pas exactement un démenti. Apparemment, même si elle n'était pas son genre de femme, l'expérience ne lui aurait pas déplu. Elle regarda dehors. Ils étaient sur l'avenue Foch, à quelques pâtés de maisons de chez Philip. S'il se retrouvait dans son environnement familier, il se reprendrait et elle perdrait l'avantage. Elle jeta un nouveau coup d'œil au tissu tendu de sa braguette. « Substantielle ». Ce fut le mot qui lui vint pour qualifier cette érection. Au diable les règles du jeu et les convenances. Laisser passer une occasion comme celle-là serait un crime.

Elle s'adressa au chauffeur.

— Nous avons changé d'avis. Emmenez-nous à Versailles, s'il vous plaît.

— Versailles ? répéta faiblement Philip.

Faiblement.

Versailles n'était pas tout près, ce qui lui laissait tout le temps pour mettre en œuvre son projet de séduction.

Avec un sourire carnassier, elle s'assit sur les genoux de Philip qui frissonna.

Son sexe durci semblait irradier en elle alors qu'elle ne l'avait même pas touché. Elle glissa les mains vers son ventre.

Philip jeta un œil au chauffeur. C'était un jeune homme mal rasé mais propre. D'après la lueur qui pétillait dans ses yeux, il pensait à l'histoire qu'il ne manquerait pas de raconter à ses amis. Son attitude n'était pas pour mettre Philip à l'aise. Déjà, son visage luisait de sueur et le phénomène s'aggrava quand Béa se mit à rouler des hanches pour mieux le sentir sous ses fesses.

— Versailles, confirma-t-elle dans un murmure qui ressemblait à une promesse. J'ai une envie soudaine d'admirer les jardins du château.

— On m'attend au bureau, protesta Philip d'une voix qui se brisa lorsqu'elle insinua une main sous sa veste. La circulation…

— Oui, la circulation risque de nous ralentir, chuchota-t-elle en le massant doucement.

— Les gens dans les autres voitures…

Elle le lécha juste sous l'oreille, s'amusant à compter les battements de son cœur qu'elle percevait sous sa peau. Frémissant, il lui saisit la taille mais sans la repousser.

— S'il te plaît, Béa. Ne fais pas ça. On pourrait nous voir.

Mais il était clair qu'il en mourait d'envie. La robe en soie de Béa s'était déployée comme une corolle autour de ses genoux, et le sexe de Philip appuyait sur l'entrejambe de sa culotte comme s'il cherchait à s'y insinuer. De briser toutes les barrières pour arriver à bon port. Ses yeux gris, d'ordinaire placides et doux, étaient devenus orageux. Ses doigts s'enfonçaient comme des pinces autour de sa taille.

— On *pourrait,* dit-elle, fascinée par la façon dont ses pupilles s'étaient dilatées. Mais je veillerai à ce que ce ne soit pas le cas.

— Béa...

Il enfouit la tête dans son cou, respirant comme s'il venait de monter les marches du Sacré-Cœur en courant.

— Béa... s'il te plaît...

Elle comprit, à ce moment-là, qu'il était incapable de résister à ce qu'elle lui offrait. La situation correspondait trop à l'un de ses fantasmes secrets pour qu'il puisse dire non.

Elle défit le premier bouton sous sa cravate et continua jusqu'en bas tandis qu'il haletait contre sa joue. Elle immisça la main sous le fin coton égyptien et se mit à pincer doucement ses tétons jusqu'à ce qu'il gémisse. Il la mordit à travers la soie.

— Mets tes mains sous ma robe, murmura-t-elle.

Il obéit sans se faire prier, mais en tremblant, puis lui palpa les cuisses, les fesses... jusqu'à l'entrejambe qu'il découvrit tout moite.

— Oh, Seigneur... dit-il en fermant les yeux.

Elle lui lécha l'oreille pendant qu'il la caressait à travers la culotte. Quand il trouva le renflement du clitoris, il s'y concentra, décrivant de petits cercles tout autour. Ce qu'il lui faisait était si intime et à la fois si timide qu'elle en éprouva un trouble indescriptible.

— Béa, gémit-il en cherchant sa bouche.

Ils s'embrassèrent, et ce baiser les enivra totalement. Avec une lenteur sensuelle, ils cherchaient un meilleur angle, une meilleure inclinaison pour que leurs langues se frottent plus librement. S'arrêtaient pour reprendre leur souffle. Recommençaient. La bouche de Philip était tendre, ses mains avides. Il lui caressa le dos, les reins, et prit soudain possession de ses seins. Ses rondeurs semblaient l'exciter.

Il interrompit leur baiser pour défaire le soutien-gorge. L'instant d'après, il aspirait un téton et suçait l'extrémité avec délectation. Sa langue était du vif-argent, lapant ses seins l'un après l'autre. Ses lèvres les pinçaient alternativement jusqu'à ce qu'ils soient si durs qu'ils devinrent presque douloureux.

Au bout d'un moment, il glissa une main sous la culotte de Béa, se perdit dans les replis trempés, signe d'un désir qui le fit trembler. Sans hésiter, il insinua deux doigts en elle tandis que son pouce se concentrait sur le clitoris. Béa réprima une plainte alors qu'il imprimait un mouvement diabolique, faisant naître des sensations fulgurantes. Elle renversa la tête en arrière. Ses caresses étaient plus précises qu'elle ne s'y attendait, plus fermes. Elle se sentait mollir de plaisir, tellement c'était bon.

Bien qu'il perçût les réactions que sa main provoquait, il parvenait à garder l'air normal, à part ses lèvres un peu plus serrées que d'ordinaire et une certaine fixité dans le regard. En réalité, il contenait sa respiration avec peine, et ces efforts galvanisèrent la jeune femme presque autant que la pression de ses doigts.

— Caresse-moi, dit-il contre ses seins. Ouvre mon pantalon et prends mon sexe.

Il voulait qu'elle lui fasse ce qu'elle avait fait à Andrew… Elle s'y employa aussitôt et découvrit un pénis énorme et brûlant. Elle le dégagea de sorte à lui laisser une place entre leurs corps et déroula la peau de bas et haut et ainsi de suite. Il baissa la tête pour voir sa main à l'œuvre.

— C'est bon ? murmura-t-elle.

Il hocha la tête sans mot dire et frémit quand elle dégagea l'extrémité déjà humide. Alors elle étala l'élixir du désir sur la peau si fine et si sensible.

Philip jeta un coup d'œil dehors, sur l'autoroute A13 où ils roulaient maintenant. Une Mercedes noire les dépassa par la droite. Une dame élégante était assise à l'arrière, coiffée d'un petit chapeau rond à voilette. Elle rappela à Béatrix les amies de sa mère, les dragons de la mode. Qu'arriverait-il si l'une d'elles la voyait en ce moment avec Philip ? Et si, sous la voilette, se cachait un visage connu ? Philip observait la femme, lui aussi. Pensait-il la même chose ? Quelle était la part de la peur dans cette folie érotique ?

La sagesse aurait voulu qu'elle s'arrête là, mais le pouvoir qu'elle détenait sur lui était trop grisant. Pour une fois, il était en position de faiblesse par rapport à elle. Pour une fois, le désespéré, c'était lui.

— Je pourrais te cacher, ronronna-t-elle. Te cacher à l'intérieur de moi. Je te couvrirai avec ma robe. Personne ne saura ce qui se passe en dessous.

Il ferma les yeux et raffermit sa main sur son sein.

— Je n'ai rien sur moi, avoua-t-il comme si cela lui faisait mal physiquement de l'admettre. Rien pour te protéger.

Les doigts de Béa s'attardèrent sur la peau mouillée, puis reprirent leur va-et-vient.

— As-tu quelque chose dont j'aurais besoin d'être protégée ? Parce que je suis sous pilule.

Elle vit qu'elle l'avait choqué.

— Béa… tu ne devrais pas poser une question pareille quand tu as… quand tu as le pénis d'un homme dans la main. Dans cette situation, il faudrait qu'il soit un saint pour dire la vérité.

— Mais je ne m'adresse pas à n'importe quel homme. C'est à toi que je le demande.

Elle sourit, relâcha la pression sur son sexe, puis resserra de nouveau les doigts.

— Alors dis-moi, Phil : à quand remonte la dernière fois où tu as fait l'amour sans préservatif ?

Il chercha de l'air pendant qu'elle amplifiait le mouvement.

— Jamais.
— Dans ce cas, nous sommes deux.
Elle percevait les effets des moindres changements de rythme. Il était incroyablement réceptif. Certes, elle espérait qu'elle était sexuellement attirante mais maintenant, elle n'en doutait plus. Il chercha son regard en une sorte de question muette. Ce qu'elle lui offrait, elle ne l'avait jamais partagé avec personne. C'était comme une virginité qu'elle s'apprêtait à lui donner, et elle lui demandait la même chose.
Il passa sa langue sur ses lèvres sèches.
Il était d'accord avec elle, il voulait accepter même s'il savait que ce n'était pas convenable. Pas avec elle. Pas dans un taxi. Pas avec le fantôme de sa mère entre eux.
— Béa... commença-t-il pour la mettre en garde.
Elle l'embrassa pour lui imposer le silence, jusqu'à ce qu'elle sente sa bouche se rendre aux exigences de la sienne.
— Béa, répéta-t-il d'un ton totalement différent.
— Peau contre peau... Penses-y, Philip. Pense à ce que cela nous ferait.
Vaincu, il tressaillit. Il ôta les doigts qu'il avait glissés en elle et saisit sa culotte au niveau de la taille.
— Enlève ça.
Enfin ! Il se décidait. Elle se souleva de sorte qu'il puisse faire descendre sa culotte le long de ses jambes, puis elle se mit à cheval sur lui, les jambes repliées sur le siège en vinyle. Sa jupe se déploya autour d'eux. Il glissa ses mains sous ses fesses, ses mains douces et chaudes.
— Ne va pas trop vite. Je veux tout sentir quand j'entrerai en toi, chaque millimètre...
Il n'aurait pu trouver demande plus provocatrice. Béatrix descendit lentement, prenant le temps de s'ajuster à lui. Ils sursautèrent tous deux lorsque leurs sexes se touchèrent.

Philip trouva tout naturellement le chemin dans les replis humides, glissants. Du velours. Quand il fut sur le point d'entrer en elle, elle soupira de plaisir. Doucement, il la fit descendre sur son sexe. Et il ferma les yeux. Béa chancela légèrement, mais ses jambes musclées lui permettaient de se maintenir. Il était presque trop gros pour elle. La pénétration sembla durer indéfiniment, tant il la ralentit, mais il arriva enfin au fond.

Une pulsation involontaire la fit se contracter autour de lui.

— Oh… exhala-t-il dans un soupir de pure volupté, le visage transformé par l'extase.

Il lâcha ses hanches et la serra contre son torse en glissant une main sous sa robe pour lui masser le dos, comme s'il ne pouvait se lasser de sa peau. Son étreinte était d'une douceur extrême.

Mais ils ne purent prolonger ce moment de tendresse trop longtemps.

Les hanches de Philip entamèrent un mouvement circulaire qui les mit en feu.

— Je ne viendrai pas en toi, murmura-t-il. Je me retirerai juste avant.

— Tu n'es pas obligé.

— Si, dit-il en ondulant un peu plus fort. Par sécurité.

Béa secoua la tête. Pourquoi tenait-il à cette précaution inutile ? C'était si bon, si… Mais elle ne discuta pas. Sa façon de bouger déclenchait entre ses jambes des délices irrésistibles. Elle voulait profiter de chaque instant, le voir succomber peu à peu, ne rien perdre de ces moments dont elle rêvait depuis longtemps.

Philip ne parvenait plus à penser normalement. Le parfum de Béa le grisait. Ses notes vanillées, épicées, évoquaient une pâtisserie. Ils bougeaient à peine mais il avait envie de crier de plaisir chaque fois que ses infimes coups de reins lui infligeaient une nouvelle torture. Toutes ses sensations étaient décuplées. Il adorait le grain de sa peau, de ses seins, le tombé de ses hanches, le velouté de son ventre. Sa sensualité épanouie le rendait fou. Il l'embrassa dans le cou, la mordilla en essayant de ne pas laisser de marques, mais il avait beaucoup de mal à se contenir. Elle le rendait insatiable. Elle était tellement appétissante, tellement douce. Quand elle se contractait autour de son sexe, il avait envie de pleurer.

Il gardait les yeux clos pour ne pas voir ceux du chauffeur de taxi dans le rétroviseur, son petit sourire entendu. L'obscurité lui permettait de percevoir avec une acuité plus grande. Il la sentait s'exalter un peu plus chaque fois qu'il avançait en elle, qu'il reculait, revenait. La respiration accélérée, elle s'arc-boutait plus fort à sa rencontre. Il espérait que ce léger va-et-vient lui suffisait parce que lui, il était au bord de la folie.

Elle jouit tellement vite qu'il fut pris de court. Il le sentit à la moiteur accrue de son sexe, à la façon dont celui-ci se contracta en une série de pulsations brûlantes.

— Désolée, dit-elle dans un souffle. Je n'ai pas pu attendre.

Il dut rire, il ne savait plus très bien.

Une seule chose lui semblait claire : il voulait qu'elle jouisse encore, même s'il devait en mourir. Il pouvait entrer plus loin en elle, dans ce brasier incandescent qui lui procurait une volupté inconnue et diabolique. Oui, il le pouvait s'il s'arc-boutait davantage. Elle était si douce à l'intérieur, et la friction si exquise…

Jamais il n'avait rien éprouvé d'aussi bon. Leurs peaux semblaient s'être toujours cherchées. Il sentait la texture de sa féminité avec une finesse incroyable, comme si chacun de ses replis embrassait son sexe enfiévré. C'était cela, faire l'amour. Cet accord parfait. Ces émotions à pleurer. Le paradis. Il voulait y rester avec elle, pour de longues semaines d'amour. Il aurait aimé qu'ils soient des étrangers l'un pour l'autre, sans nom et sans passé. Il lui offrirait sa tendresse infinie, la déposerait en elle afin que ce sentiment de solitude qui l'habitait depuis toujours s'apaise entre ses bras. Comme en ce moment.

Elle paraissait ressentir elle aussi l'intensité rare de cette union. Câline, elle lui caressait les cheveux, le cou. Et la tristesse de Philip refluait, noyée par le plaisir qui lui embrasait le creux des reins. Le mouvement de la voiture, le regard des inconnus ou le risque d'être découverts n'y étaient pour rien.Être en elle et l'avoir dans ses bras effaçait tout le reste. Il parvint à s'insinuer plus loin. Elle se mit à haleter, repartant vers le plaisir.

Contractée autour de lui, elle amplifia le balancement. Son pénis tressauta sous l'effet de la volupté. Il serra les dents car s'il n'y prenait garde, elle l'emmènerait dans l'extase avec elle.

La main qui lui caressait le cou s'arrondit et des ongles s'enfoncèrent dans sa peau.

Oui... oui... songea-t-il. Dépêche-toi, je n'en peux plus... je vais jouir...

Il lutta contre le feu qui montait, contre la brûlure qui transformait son membre en un dard incandescent. Mon Dieu, il avait envie de la sentir trembler dans l'extase. Il serait attentif, cette fois, il n'en manquerait rien.

Sauf s'il perdait totalement le contrôle comme il semblait sur le point de le faire.

— Philip...

Et soudain, cela se reproduisit. Les petits spasmes en cascade autour de son pénis dur comme le roc, ses hanches qui allaient et venaient frénétiquement. Sauvagement.

Tout son être brûlait de la rejoindre.

Il faillit jurer, tant c'était difficile de se retenir. Mais avait-il seulement la force de parler ? Un instinct animal se déploya en lui. Il se vit en train de la renverser sur le siège pour lui faire l'amour comme un fou, il…

Dans un ultime éclair de lucidité, il se retira et jouit sur sa cuisse avec un cri étranglé, se frottant contre sa peau au fur et à mesure que le plaisir l'emportait, succombant à un orgasme violent. L'espace d'un instant, le soulagement submergea la déception de s'être retiré.

À la fin, il eut l'impression qu'il venait de gagner une course épuisante.

Comme il aurait aimé jouir en elle. La marquer de son sceau. Se répandre en elle en se fondant dans sa peau, son odeur… son âme. Il posa une main sur son front.

Qu'est-ce qui n'allait pas chez lui ? C'était Béa, Seigneur ! La rebelle. L'obstinée. La jeune fille à problèmes qui ne les résoudrait pas en couchant avec l'ex-mari de sa mère. Il ouvrit la bouche pour s'excuser.

— Non, l'interrompit-elle en glissant ses deux mains dans ses cheveux. N'aie pas de regrets, Philip. Et ne me jure pas que cela n'arrivera plus.

— Mais c'est impossible. Cela n'aurait jamais dû arriver !

Avec un soupir, elle descendit de ses genoux et reprit sa place, le laissant frissonner dans la fraîcheur soudaine de l'air sur sa peau moite.

Il savait qu'il avait raison. Ils ne pouvaient pas recommencer. Ce n'était pas sain. Ce n'était pas bien.

Mais qu'est-ce que c'était bon ! En dépit de tout, lorsqu'il l'avait serrée contre lui et qu'ils avaient partagé ce plaisir inouï, il s'était senti vraiment bien pour la première fois de sa vie.

New York
6

Lela but son vin blanc et posa son front contre la vitre du hublot. Il y avait de l'espace en première classe, mais pas assez, apparemment, pour que son compagnon parvienne à se calmer.

Andrew ne cessait de lui vanter les qualités de son amie : son intelligence, sa beauté, l'audace dont elle avait fait preuve sur la terrasse de ce petit café. Il ne la remercierait jamais assez de les avoir présentés et n'avait plus qu'à espérer qu'il aurait, un jour, le temps d'explorer sa sexualité inexploitée.

— C'est un volcan, cette fille, dit-il en se léchant inconsciemment les lèvres. Sage au-dehors mais en feu à l'intérieur. *Hot-hot,* comme on dit chez nous.

Absolument, songea Lela. Ravie qu'elle te plaise, et je suis sûre que c'est réciproque.

Mais Andrew était loin d'avoir épuisé le sujet.

Elle se blottit dans son siège et feignit de lire le magazine de la compagnie aérienne. N'avait-il donc aucun égard pour son amour-propre ? S'imaginait-il que d'entendre son ex louer inlassablement les qualités de sa nouvelle conquête la laissait indifférente ? D'accord, c'était elle qui les avait mis dans les bras l'un de l'autre, mais tout de même !

— Et elle a une poitrine splendide, continua-t-il comme si cela ne suffisait pas.

Le pire, c'est qu'il avait raison, elle devait en convenir. Béa possédait un réel talent pour charmer les hommes – et les femmes. Elle avait beau se dire qu'elle était ivre ce soir-là, que la vue de l'érection d'Andrew lui avait tourné la tête, il n'en restait pas moins qu'elle avait eu envie de coucher avec Béa. Et ce n'était pas la première fois.

Lela n'avait jamais été encline à compartimenter ses sentiments. Le sexe était la meilleure façon de se rapprocher de quelqu'un. Quand deux personnes se retrouvaient peau contre peau, dans toute leur vulnérabilité, les liens qu'elles tissaient étaient exceptionnels.

Mais elle aurait dû savoir que Béa ne serait pas à l'aise dans ce genre de rapports avec elle, qu'elle ne réagirait pas avec insouciance.

Si Lela pouvait se montrer désinvolte en ce qui concernait le sexe, ce n'était pas le cas lorsqu'il s'agissait d'amour. Elle avait un problème, elle le savait. Contrairement à elle, les autres étaient capables de nouer des relations intimes mais pas forcément sexuelles. Ils tombaient amoureux, s'engageaient sans pour autant se sentir obligés de franchir toutes les barrières, tous les tabous.

D'une manière incompréhensible, l'admiration qu'Andrew et Béa partageaient l'un pour l'autre lui inspirait un double désir.

Elle tourna la page suivante du magazine en revoyant le visage de Béa quand Andrew l'avait menée à l'orgasme, en imaginant celui du jeune homme quand elle l'avait fait jouir sous la table, sur cette terrasse de café. Était-elle bisexuelle, comme le lui avait demandé Béa dans la cuisine ? Comment savoir ? Et quelle importance ? Tout ce qui importait, c'était de prendre du plaisir en faisant l'amour.

Lela savait qu'il fallait remonter dans son enfance chaotique pour comprendre son comportement. Tous ces foyers, ces parents adoptifs ne l'avaient pas aidée à se construire. Elle n'était pas une fautrice de troubles, au moins au début. Elle avait essayé de s'adapter, de se faire aimer, mais au bout du compte personne ne s'était vraiment attaché à elle. Dès qu'elle était devenue gênante, on lui avait tourné le dos et elle s'était retrouvée seule.

Elle avait alors appris à lier de nouvelles amitiés, mais assez superficiellement. Pourquoi s'attacher si on ne reste jamais longtemps au même endroit ? En revanche, elle n'avait pu résister à Béa. Béa... une reine qui se prenait pour une paysanne. Elle avait traité Lela comme une héroïne, ses défauts lui apparaissant comme des vertus – vertus qui n'avaient pas grand-chose à voir avec l'altruisme, mais bon. Béa n'en avait pas démordu. Si elle se faisait une amie, elle, c'était pour la vie. Lela bénissait le jour où elle l'avait rencontrée. Elle était sa seule famille.

Si elle la perdait, elle n'aurait plus rien. Ne serait plus rien.

— Eh ! la secoua Andrew. Où étais-tu partie ?

— Désolée... Qu'est-ce que tu disais ?

Il sourit en lui redressant ses lunettes sur le nez.

— Je me demandais si tu accepterais de dîner avec Simon et moi, à notre retour.

Oh, non ! Il n'allait pas remettre ça... Elle n'était pas une faveur que l'on pouvait se repasser de main en main. D'accord, elle avait agi ainsi avec Andrew, mais elle doutait vraiment que Simon Graves soit une gratification comparable à Béa. En quoi un homme qui ne pensait qu'au travail pouvait-il être divertissant ?

— Andrew, susurra-t-elle, si ton patron a besoin d'un bon coup, tu vas devoir t'en charger toi-même, j'en ai peur.

Le jeune homme rougit jusqu'aux oreilles.

Ce qui lui fit comprendre que ce qui était une plaisanterie pour elle ne l'était peut-être pas pour lui...

— Votre quatre-heures est arrivé, monsieur Graves, annonça la voix chevrotante de Mme Winters dans l'interphone.

Simon sourit. Ce n'était pas le premier « quatre-heures » que Mme Winters lui annonçait, loin de là, mais cela heurtait toujours autant son âme conservatrice.

Avec une pointe de malice, il laissa sa secrétaire mijoter mais, tel le chien de Pavlov, son corps avait réagi dès que la sonnerie de l'interphone avait retenti : son sexe avait durci. Il redressa la photo de ses parents adoptifs, la seule qui figurait sur son vaste bureau à la surface lustrée. On les voyait tous les trois bras dessus bras dessous sur le pont du *QE2* en vêtements de vacances hawaïens, dans lesquels ils ressemblaient plus à des touristes moyens qu'à des gens capables de s'offrir ce genre de croisière. La vue de leur visage radieux le relaxa, et il lissa de la main son nœud de cravate en soie chocolat tout en faisant pivoter son fauteuil vers la fenêtre.

Avec ses quarante étages, la Graves Tower s'élevait vers le ciel comme une lance de granit rouge. À l'extérieur, l'acier et le verre du centre de Manhattan luisaient au soleil. Plus bas, les eaux bleues de l'East River coulaient en silence alors que la rumeur de la circulation vibrait en lui comme si l'âme de la ville le traversait.

Il se retourna et appuya sur le bouton de l'interphone :

— Faites-la entrer, madame Winters.

Diane fit irruption dans le bureau dans un nuage de Cristal. Il n'appréciait pas particulièrement ce parfum, mais son aptitude à le reconnaître l'amusait. Qui avait dit que l'on n'apprenait pas à un vieux singe à faire la grimace ?

Il tourna son fauteuil pour lui faire face.

— Simon, jeta-t-elle avec un bref hochement de tête.

Impeccablement maquillée, elle portait un tailleur rouge vif à la jupe vraiment très courte sur ses jambes incroyablement longues. Ses cheveux blond cendré coiffés en arrière lui arrivaient à hauteur du menton. Elle avait fait du chemin depuis qu'il l'avait rencontrée. Elle était alors une étudiante débraillée à qui il avait proposé des cours particuliers… très particuliers, en fait.

Il en avait retiré beaucoup de plaisir, tout comme elle, sans quoi il n'aurait pas prolongé leur arrangement. Quand il s'agissait de sexe, il développait toujours un grand sens pratique. Pour lui, le désir charnel était un besoin qu'il convenait de satisfaire chaque fois qu'il se manifestait, sans honte ni regrets. En revanche, il n'allait jamais jusqu'à traiter ses jolies partenaires comme des putains. Des maîtresses, oui. Rien d'autre.

Bien sûr, il aimait les femmes mais il tenait à éviter les inconvénients que créaient les engagements sérieux. Il détestait qu'on lui en demande trop, alors autant être clair dès le début : pas de romantisme, pas de mariage.

Diane comprenait ses priorités, elle les partageait.

— Tu es très belle, dit-il.

Le compliment sembla la surprendre. Était-il donc si avare de louanges ? Cela le contraria, car il estimait que tout employé de valeur méritait de la reconnaissance.

— Tu es toujours très belle, et j'apprécie le soin que tu portes à ta personne, hasarda-t-il.

Elle sourit comme si cette remarque l'amusait. Décidément, il n'était pas très adroit.

D'un geste élégant, elle indiqua la suite contiguë au bureau.

— On peut ?

Ce disant, elle le parcourut du regard qu'elle fixa sur son érection visible sous le pantalon.

— Je vois que tu es prêt à te mettre au travail.

Il l'était, en effet. Plus que prêt. Pourtant, son air sarcastique le gênait un peu. Leur relation était-elle strictement d'ordre professionnel ? Il pensait qu'ils se plaisaient tout de même un peu…

Sottises, songea-t-il en s'efforçant de se concentrer sur le présent. Il la suivit dans la pièce voisine aux murs dépourvus de fenêtres. Il n'y avait pas de téléphone sur la table de chevet. L'épaisse moquette bleu marine étouffait le bruit de leurs pas, et l'éclairage indirect révélait une lueur d'anticipation dans leurs yeux.

— Un verre ? proposa Simon en montrant le petit bar à la surface carrelée.

— Non, merci. Je suis presque embarrassée de l'admettre, mais j'ai hâte de te toucher, déclara-t-elle en fixant de nouveau son entrejambe au renflement révélateur.

Simon se mit à rire et commença aussitôt à se déshabiller. Elle en fit autant de son côté. Ils aimaient que cela se passe ainsi.

— Oh… oh… dit-elle lorsqu'il fut en caleçon. Il faut que je l'embrasse.

En soutien-gorge et string de dentelle, elle s'agenouilla devant lui, ouvrit la fente du caleçon et posa ses lèvres au bout de son sexe tendu, tout en glissant une main entre ses jambes.

Simon enfouit les doigts dans les cheveux de Diane et ferma les yeux, se livrant au plaisir qu'elle lui donnait sans craindre de perdre le contrôle. Il possédait le don appréciable de pouvoir jouir quand il le voulait, et ce depuis l'âge de dix-sept ans, époque de son premier rapport. La fille, qui avait déjà eu plusieurs partenaires, avait été impressionnée par sa capacité à se retenir. Par la suite, Simon Graves n'avait jamais déçu aucune de ses maîtresses sur ce plan, au contraire.

Il aida Diane à se relever et s'empara de sa bouche.

— Tu veux que je te retourne la faveur ou que je vienne tout de suite en toi ?

Elle renversa la tête en arrière tandis qu'il lui mordillait le cou.

— Mmm... En moi d'abord. Le reste plus tard. Je suis impatiente, aujourd'hui.

Ces paroles l'excitaient, et lorsqu'il lui enleva son délicat soutien-gorge, le sang afflua dans son sexe. Pour autant, cela n'empêcha pas Simon de calculer combien de temps il pouvait passer à chaque type de caresse. Tout en embrassant ses seins ronds et fermes, il se souvint qu'il avait une réunion à dix-huit heures. Il lui fallait une demi-heure pour se doucher, se raser et se changer. S'agenouillant, il fit descendre le string le long de ses jambes tout en titillant la petite toison bouclée. Cela lui laissait vingt minutes pour lui faire l'amour, la sucer, et recommencer peut-être.

Simon aimait aller à ses réunions après une bonne partie de jambes en l'air. Cela stimulait sa concentration et l'aidait à réprimer son caractère parfois emporté.

— Simon... dit Diane dans un soupir alors qu'il agaçait son clitoris du bout de la langue.

Il immisça les doigts entre ses lèvres moites. Elle était chaude et mouillée. Quand son pouce fut en elle, elle se mit à trembler.

S'empressant d'enfiler un préservatif, il la fit basculer sur le lit, ses hanches au bord du matelas. Lui écarta les cuisses. Très excité lui aussi, il s'agenouilla et la pénétra sans hâte. Elle fit le dos rond, comme un chat. Diane aimait qu'il entre en elle lentement, alors il avança par paliers tout en glissant les mains le long de ses bras et en entrelaçant ses doigts aux siens.

Elle croisa les jambes autour de ses reins, et il s'aventura en elle jusqu'au bout. C'était le moment qu'il préférait. Celui où ils frémissaient l'un contre l'autre dans un même embrasement, où rien n'était commencé et où tout pouvait arriver. Tout.

— Baise-moi, Simon... baise-moi fort. Je veux me relever en chancelant.

Cette requête le surprit, mais il lui obéit sans se faire prier. Sa fougue l'électrisait. Il donna un premier coup de reins.

— Dis-moi si je te fais mal.

— Oh, non… viens… plus fort ! Plus fort !

Il se mit à aller et venir sans retenue tandis qu'elle se déhanchait à sa rencontre, sa tête allant de droite à gauche sur le lit. Il ne l'avait jamais vue comme ça, et il se demanda ce qui lui arrivait. D'un côté, son attitude l'effrayait un peu, mais de l'autre, son corps se pliait sans effort à ses exigences. Andrew lui aurait dit qu'il avait une sacrée chance. Il dut se concentrer pour ne pas jouir avant elle, d'autant qu'elle ne semblait pas décidée à le laisser se servir de ses doigts pour l'aider.

— Fais-moi du bien avec ton sexe… dit-elle d'une voix rauque.

Il s'y appliqua docilement, stimulant les points sensibles en associant des mouvements circulaires, en changeant de rythme, en appuyant tout au fond, en s'interrompant une fraction de seconde pour mieux recommencer.

Il sentit des vibrations le long de son vagin lorsqu'elle jouit, et il céda lui aussi à l'orgasme une seconde plus tard. Un spasme bref mais intense.

— Waouh, souffla-t-il en se laissant retomber contre elle.

Diane se dégagea aussitôt, le débarrassa du préservatif et prit son sexe entre ses doigts pour le faire revenir à la vie. Il la laissa jouer ainsi quelques instants, puis s'agenouilla à califourchon sur elle.

— Non, non, non, mademoiselle Kingston. Tout d'abord, un vieil homme comme moi a besoin de plus de temps pour récupérer. Ensuite, je crois bien que ma bouche a rendez-vous avec votre joli minou.

Elle frissonna en soupirant d'aise tandis qu'il embrassait son ventre.

— Tu n'es pas vieux, Simon. Tu es parfait.

Bon, elle était gentille mais il avait tout de même trente-six ans et elle, dix-neuf. Il caressa ses longues cuisses musclées et sourit en s'apercevant qu'elles s'ouvraient à lui. Une fleur rouge et humide s'offrit à son regard, comme une rose après la pluie, et il eut envie de la manger.

— Je suis belle, n'est-ce pas ?

— Oui, admit-il en riant. Et bavarde aussi. Qu'est-ce qui t'arrive aujourd'hui ?

Elle rougit en se mordant les lèvres.

— Je te trouve particulièrement en forme, c'est tout, se contenta-t-elle de répondre.

Il n'insista pas parce que son sexe recommençait déjà à durcir.

— Retourne-toi, dit-elle, je veux t'embrasser en même temps.

C'était la première fois qu'ils adoptaient cette position mais l'expérience fut agréable. Simon ne tarda pas à grossir dans sa bouche.

Elle s'interrompit un instant pour lui dire qu'elle le trouvait tellement sexy qu'elle pourrait rester des heures ainsi. Pour toute réponse, il donna quelques coups de langue sur son clitoris qui la propulsèrent au bord de l'orgasme.

Puis il s'agenouilla et la pénétra. Elle releva les jambes et les enroula autour de son cou tout en s'accrochant aux poils de sa poitrine. C'était douloureux et sexy en même temps.

— Simon, tu vas tellement me manquer…

Il n'eut pas le temps de lui demander ce qu'elle voulait dire : la porte de son sanctuaire s'ouvrit.

Diane émit un cri étouffé en lui arrachant une bonne poignée de poils.

— Mince, jeta Andrew.

— Nom d'un chien ! gronda Simon en se frottant le torse et en tournant les yeux vers son chef du marketing, sans pour autant se retirer de la jeune femme. Nous avions rendez-vous à dix-huit heures !

Le teint perpétuellement bronzé d'Andrew prit une couleur brique.

— Je suis désolé. J'ai mal dû remettre ma montre à l'heure, en rentrant de France.

Du pouce, il désigna la porte derrière lui.

— Je... euh... je vous laisse... Waouh ! dit-il en fixant le derrière de Simon. Ça, c'est une tache de naissance ! On dirait un fer à cheval.

Malgré l'inconfort de la situation, Simon éclata de rire. Cette marque porte-bonheur ne lui avait pas été très utile, aujourd'hui. Il s'aperçut soudain que Diane se tortillait pour se dégager, les joues encore plus cramoisies que celles d'Andrew.

— Oh, s'il te plaît ! Laisse-moi me lever !

Avec un soupir de regret, il la libéra et elle s'empressa de remonter les couvertures sur elle. Ébouriffée et rougissante, elle était adorable. Pivotant vers Andrew, il s'aperçut avec amusement que celui-ci regardait fixement son érection qui n'avait pas faibli. Il déglutit avec peine en redressant son nœud de cravate.

— Rince-toi l'œil, je t'en prie ! Ne te gêne pas, surtout.

— Désolé, s'excusa-t-il en levant les yeux. Je... je vais t'attendre dans ton bureau.

Dans sa confusion, le pauvre Andrew heurta en sortant le chambranle de la porte de plein fouet.

Mortifiée, Diane s'était enfermée dans la salle de bains. Obligé d'attendre son tour, Simon remit sa chemise froissée et son pantalon et entra pieds nus dans son bureau. Il n'était pas très présentable, mais si Andrew n'était pas content, il n'avait qu'à aller se plaindre ailleurs.

Le directeur du marketing était assis au coin du bureau, une grande serviette en cuir ouverte sur ses cuisses.

— Désolé, répéta-t-il.

Ses joues avaient retrouvé leur couleur normale, mais il semblait toujours mal à l'aise.

Simon balaya ses excuses d'un geste. Il s'assit dans son fauteuil, croisa ses chevilles poilues sur le bureau et posa les mains sur son ventre.

— Je suppose que tu as des nouvelles qui ne peuvent attendre ?

Andrew fixa les pieds de Simon d'un air absent.

— Oui, des nouvelles excitantes.

— Autant que je l'étais ? ne put s'empêcher Simon de le taquiner, songeant à la façon dont il l'avait observé. Bon, n'en parlons plus. Cela ne se reproduira pas, j'en suis sûr.

— Je me serais annoncé, mais Mme Winters n'était pas à son bureau.

— Mme Winters n'est jamais à son bureau quand mon quatre-heures arrive.

Andrew parut impressionné.

— Tu fais ça tous les jours ?

Simon n'avait pas l'intention d'évoquer avec lui la façon dont il assouvissait ses besoins sexuels. Il prit un stylo et le fit tourner entre ses doigts. Un silence s'installa, et Andrew s'empourpra de nouveau.

— Bon, cela ne me regarde pas, d'accord… mais cette femme ne travaille pas ici, hein ?

Incrédule devant l'insistance d'Andrew, Simon secoua la tête. Le prenait-il pour un imbécile ? Jamais il n'aurait une aventure dans le cadre professionnel. Rien n'était plus dangereux que d'avoir une relation avec une collègue de travail.

— Alors, les nouvelles ? s'enquit-il sans répondre à la question.

Andrew ramena ses cheveux en arrière et en vint au sujet qui motivait sa venue.

— Je crois que j'ai trouvé un parfum pour la marque Graves, dans une entreprise familiale située à Grasse. Reste à s'assurer qu'ils pourront le produire à grande échelle…

— En supposant qu'on ait beaucoup de demandes.

— Oui, en supposant. J'ai demandé aux gars du service financier d'étudier une possibilité d'expansion de l'usine. La qualité de leurs parfums est bien supérieure à ce que m'ont proposé les grandes entreprises. Je suis sûr que l'investissement en vaut la peine, mais…

Il inspira profondément et sourit de toutes ses dents. Simon comprit qu'il ne lui avait pas encore annoncé les vraies nouvelles.

— Mais ?

— Je crois que j'ai trouvé la réponse au problème dont nous avons parlé plus tôt. La solution capable de donner à Graves Department Stores la popularité qui nous manque.

Simon remit ses pieds par terre et s'appuya sur le bureau. Les yeux d'Andrew pétillaient. Il s'approcha si près de lui que Simon perçut les notes citronnées de son après-rasage.

— Tu connais *Meilleurs Amis* ? reprit-il.

— C'est une chaîne de magasins. Une entreprise familiale fondée après la Seconde Guerre mondiale, quand les boutiques de luxe ont recommencé à ouvrir. Je crois qu'ils en ont une sur la 5e Avenue, près de Cartier.

Andrew acquiesça.

— J'ai découvert qu'ils pourraient être favorables à un rachat. Evangeline Clouet, la fille de la fondatrice, est morte récemment dans des circonstances assez… scandaleuses. Bref. Son ex-mari, un homme beaucoup plus jeune qu'elle, a pris la suite.

— Il fait du mauvais boulot ?

— Je ne dirais pas ça, mais il n'a que vingt-huit ans. Un poisson rouge dans un monde de requins. J'ai parlé avec ses banquiers. Il vient d'ouvrir un magasin à Pékin, ce qui l'a contraint à s'endetter considérablement.

Simon tapota le bout de son stylo contre ses lèvres. *Meilleurs Amis* n'était pas un nom aussi prestigieux que Chanel, mais presque. L'année précédente, Simon avait songé à s'adresser à un créateur pour se différencier une fois pour toutes, donner plus de cachet à ses magasins. Mais il ne voulait pas se retrouver à la merci d'une diva capricieuse et imprévisible. Il tenait à garder le contrôle total de sa marque et couvrir un plus vaste domaine, des lunettes de soleil au linge de maison, sans avoir à baiser les pieds de qui que ce soit.

— Voilà qui nous ouvre des opportunités, dit-il à Andrew, reprenant le fil de leur conversation. Est-ce qu'il reste des Clouet ? Quelqu'un qui pourrait empêcher le veuf de couler ?

— Il y a la fille. Je ne sais pas si elle a des dents de requin, elle. En tout cas, elle a le culot de sa mère, sans être aussi sociable, mais elle ne semble pas avoir envie de s'occuper du magasin. Elle est peintre.

Le demi-sourire d'Andrew laissa Simon deviner qu'il ne s'était pas contenté d'observer la fille. Cela expliquait peut-être qu'il soit aussi bien renseigné.

— D'accord, décida-t-il. Demande aux financiers de se mettre là-dessus, de chercher leurs points faibles que nous pourrions utiliser à notre profit. Je veux un premier compte rendu la semaine prochaine.

— Ça marche, acquiesça Andrew en lui tendant la serviette en cuir. Tu trouveras là-dedans les échantillons de parfums et mon rapport sur le voyage.

Il pencha la tête et ajouta :

— Tu sais, tu devrais peut-être aller voir le magasin de New York. Il se pourrait bien qu'il soit l'un de leurs « points faibles ». Quelque chose me dit que tu me remercieras, précisa-t-il avec un sourire sibyllin.

Sans avoir la moindre idée de ce qu'il voulait dire, Simon hocha simplement la tête en l'invitant à sortir.

— Tu as fait du bon travail.

Andrew posa une main sur son cœur.

— Je ne vis que pour entendre tes compliments, répliqua-t-il d'un ton emphatique, avant de refermer la porte derrière lui.

Il n'avait jamais rien compris à ce type, songea Simon, mais il était compétent.

Cinq minutes plus tard, Diane fit irruption dans la pièce, les cheveux mouillés et les vêtements froissés. Sans le regarder, elle jeta une petite enveloppe blanche sur le bureau en disant :

— Voilà. C'était bien.

Et sans lui laisser le temps de réagir, elle sortit.

Déconcerté, Simon ouvrit l'enveloppe.

Cher Simon,

Je me moque de ce qu'on raconte. Tu es un prince. Le problème, c'est que je suis fiancée, maintenant, et je ne pense pas pouvoir te revoir.

Ci-joint un chèque pour la partie du mois non consommée.

Merci pour tout.

Tendrement,

Diane

P.-S. Je te souhaite de trouver une fille que tu n'auras pas à payer.

Elle avait souligné « n'auras pas » de deux traits et dessiné un cœur sur le *i* de Diane.

Mais que voulait-elle dire par « je me moque de ce qu'on raconte » ? Simon était apprécié, en général. Peut-être pas par tout le monde, après tout. D'accord, il ne supportait pas les imbéciles, mais en dehors de ça… Il était un employeur généreux et un type plutôt gentil.

Il soupira en regardant la lettre. Diane avait été la maîtresse la plus cool qu'il eût jamais eue.

Il n'était pas impatient de la remplacer.

7

Lela habitait à Brooklyn, sur la rive de l'East River opposée à Manhattan, dans un ancien entrepôt converti en loft. Ce n'était pas ce qu'il y avait de plus chic, mais elle avait de l'espace et pouvait se rendre à pied dans les quartiers résidentiels de Brooklyn Heights. De plus, en se penchant à la rampe de l'escalier de secours auquel sa salle de bains donnait accès, elle apercevait la Statue de la Liberté. Par ailleurs, un ex-petit ami lui avait installé un système de sécurité très cher. Une fois que sa porte pourvue de trois verrous était fermée, elle se sentait aussi à l'abri que n'importe qui à New York.

Ce lundi matin, le premier jour de son nouveau travail, le soleil la réveilla à l'aube en infiltrant ses rayons argentés à travers les immenses fenêtres armées de plomb. Elle se changea trois fois avant de se décider pour un chemisier à manches courtes et col roulé style années cinquante, une jupe droite grise, un collier vintage en faux diamants et des talons hauts à brides de chez Manolo Blahnik. Ses pieds allaient souffrir, mais tant pis. Sa tenue était d'une importance capitale.

Tu n'es qu'une vendeuse, se rappela-t-elle en se regardant dans le miroir ancien de sa chambre.

Malgré son assurance, elle avait les mains moites et les essuya sur sa jupe. Elle voulait réussir ce projet fou. Elle y tenait avec une telle ferveur qu'elle se demandait si elle supporterait d'échouer. Elle ignorait pourquoi elle avait décidé soudainement, passionnément, qu'il était temps de faire quelque chose de sa vie, mais c'était ainsi.

Enfin, elle ne l'ignorait pas vraiment, songea-t-elle en posant une main sur son ventre pour tenter de se calmer, et en examinant son visage un peu pâle. La vue des superbes tableaux de Béa avait en quelque sorte réveillé son ambition. En dehors de ses articles de mode – un job en free lance très aléatoire – elle ne savait pas faire grand-chose. Elle n'avait pas de talent particulier. Ses seules dispositions étaient d'ordre sexuel et n'avaient rien à voir avec celles de Béatrix.

Lela plissa le nez. Elle ne pouvait continuer à enchaîner les petits boulots indéfiniment, à compter sur ses charmes pour boucler ses fins de mois, à payer ses factures toujours avec un peu de retard. Non que l'argent soit primordial pour elle, mais elle voulait être plus qu'un « bon coup ». Elle voulait qu'on la respecte.

Elle se détourna du miroir en serrant les poings et en les pressant sur son front. J'y arriverai, *j'y arriverai,* se répéta-t-elle. N'avait-elle pas réussi à convaincre Philip de lui donner sa chance ? Gentil comme il l'était, il ne l'aurait pas laissée se lancer dans cette aventure s'il ne l'avait pas crue à la hauteur.

— Je peux, dit-elle tout haut, pour entendre le ton ferme de sa voix.

Elle jeta un coup d'œil à sa montre. Il lui restait vingt minutes avant de partir pour prendre le métro. Un petit toast apaiserait peut-être son estomac noué. Une chose était sûre : si elle allait travailler dans cet état, elle ne tiendrait pas une heure.

Le magasin *Meilleurs Amis* de Manhattan était situé sur la 5e Avenue, à côté de Versace. L'élégante façade était noire de suie, mais non moins imposante. La patine des vieux immeubles new-yorkais, comme la teinte sépia des vieilles photos, faisait partie de leur caractère. Sous la poussière, la pierre était de couleur crème. Le trottoir avait été balayé. L'immense vitrine fraîchement lavée étincelait. À la vue du logo familier en lettres dorées, Lela sentit son cœur battre plus vite.

Cela pourrait être à moi, songea-t-elle. Sous ma responsabilité.

Carrant les épaules, elle ouvrit la grande porte à deux battants et entra. Le problème majeur lui sauta aux yeux immédiatement. Contrairement à l'opulence de la boutique parisienne, c'était un décor minimaliste qui vous attendait ici, sans doute dans un souci d'élitisme. Mais l'on était dans l'ère du confort. Snobs ou pas, les clients aspiraient à l'abondance et au luxe.

Par ailleurs, les vendeuses avaient l'air de potiches.

Elles regardaient Lela, leur joli visage totalement inexpressif, et ne semblaient pas se demander si elle avait besoin d'aide. Qu'elle ressemble ou non à leurs clientes habituelles et fortunées, elle méritait au moins un sourire accueillant.

Il faudra qu'elles changent, décida-t-elle, sinon elles seront virées.

À la réflexion, elle ne souhaiterait pas se débarrasser de la Latino-Américaine. Sa grâce devait agir à la façon d'un message subliminal sur les clients, comme s'ils pouvaient aussi s'acheter sa beauté rayonnante. Un message irrationnel, mais qui aidait à ouvrir les portefeuilles. D'ailleurs, Lela eut le plaisir de constater que la belle aux yeux sombres fut la première à se manifester.

Elle poussa du coude sa voisine, une blonde fadasse.

— Eh, ce doit être la nouvelle.

Lela afficha son plus beau sourire et se dirigea vers elle en lui tendant la main.

Le mardi, peu attiré par la perspective d'un déjeuner en solitaire au Lutèce, Simon décida d'aller acheter un cadeau d'adieu à Diane qui ne soit ni trop personnel ni trop impersonnel. Ce qui n'était pas une mince affaire. Il avait passé le week-end à se demander s'il n'allait pas déchirer son chèque, puis il était arrivé à la conclusion que même une jeune femme de dix-neuf ans avait sa fierté. Le départ de Diane risquait de le peiner, mais il lui souhaitait tout le bonheur possible.

— Bonne promenade, monsieur G. Il fait beau, aujourd'hui !

Simon fit un petit signe au gardien en se frottant le front. Tu vois, dit-il en pensée à Diane, les gens m'aiment bien. Le gardien n'était pas obligé de lui parler. Il aurait pu se contenter d'un bref hochement de la tête, comme lui.

Il soupira en passant la porte à tambour et se promit de se montrer plus amical la prochaine fois, de lui dire bonjour au moins.

Dehors, les voitures étaient pare-chocs contre pare-chocs. Même les piétons se bousculaient dans leur hâte à retourner au travail. Au milieu de ce flot mouvant, les touristes flânaient ou s'arrêtaient pour contempler les gratte-ciel.

Le sourire aux lèvres, Simon remarqua, non sans une certaine fierté, que la tour devant laquelle ils se cassaient le cou pour en apercevoir le sommet, était la sienne. Il était déjà de meilleure humeur quand il passa devant Saks en prenant à droite. La vitrine ne l'impressionna pas : il avait fait beaucoup mieux ce mois-ci. Il poursuivit pour contempler la flèche de St. Pat's dont la beauté gothique était écrasée par les gratte-ciel. Il y avait bien deux ans qu'il n'était pas entré dans une église. Sa mère ne serait pas contente, si elle savait.

La vitrine de Versace attira son attention. Diane apprécierait peut-être un foulard en soie, qu'elle pourrait porter pour ses entretiens d'embauche. Il hésita, puis continua jusqu'à *Meilleurs Amis*, attiré par le piédestal drapé de velours illuminé par un spot qui jaillissait d'un océan de tulle. Une simple paire de chaussures y était posée. Le genre de chaussures que Marie-Antoinette aurait pu porter. Brodées de pierreries, d'une forme que l'on ne voyait plus aujourd'hui. Leurs talons de cinq centimètres étaient resserrés au centre, comme la taille d'une femme.

Original, songea-t-il en contemplant la vitrine, mais peut-être un peu minimaliste. Et si les femmes qui s'y arrêtaient n'étaient pas d'humeur à acheter des chaussures ? À moins que les femmes ne soient *toujours* d'humeur à acheter des chaussures. En fait, il était assez mal placé pour le savoir. Il laissait à des gens comme Andrew le soin de résoudre ce genre de problème. Avec un haussement d'épaules, il posa la main sur la poignée en cuivre et poussa la porte. Puisqu'il était là, il en profiterait pour se faire une idée sur cette chaîne de magasins que son directeur du marketing suggérait d'acquérir.

Dès qu'il fut à l'intérieur, il s'aperçut que la boutique était aussi vide que sa vitrine. Elle évoquait davantage une galerie d'art qu'un magasin avec ses présentoirs aux vitres étincelantes, son parquet ciré, ses murs blancs. Pas étonnant qu'elle perde de l'argent : elle ne proposait rien à vendre. Si toutes les boutiques de la chaîne étaient comme celle-ci, il ne voyait pas l'intérêt de les acheter. Graves Department Stores s'adressait à une certaine élite, mais davantage à des épicuriens qu'à des ascètes.

Il s'arrêta toutefois devant une très belle robe chinoise rouge, style cheong-sam.

— Elle vous plaît ? s'enquit une voix légèrement rauque.

Simon se retourna et crut avoir une vision en se retrouvant devant une jeune femme gracieuse et féminine, au visage d'elfe, aux yeux bleus pailletés d'or. Ses sourcils étaient plus foncés que ses cheveux châtains et brillants. Ses lèvres semblaient incroyablement douces. Son corps était parfait, songea-t-il en la parcourant de la tête aux pieds. Mêmes ses bras étaient adorables. Elle ne portait pas de soutien-gorge sous son chemisier de couleur crème, et pas de bustier non plus, apparemment, constata-t-il en devinant les bouts de seins durcis sous le tissu.

Souriante, elle chaussa de petites lunettes cerclées de noir, et parut aussitôt plus vulnérable, plus sensuelle et plus intelligente à la fois. Une étrange alchimie qui accrut dangereusement le trouble de Simon. La gorge sèche, il sentit son sexe durcir et son cœur battre la chamade.

Il lui fallait cette fille. Il coucherait avec elle, dût-il en mourir.

— Elle vous plaît ? répéta-t-elle.

De quoi parlait-elle ? se demanda-t-il sans même se rappeler qu'elle lui avait déjà posé la question. Une petite main fine effleura alors le nœud en soie qui fermait l'encolure du modèle.

Oh ! Elle parlait de la robe...

Il avala sa salive.

— Oui, beaucoup.

Elle tourna l'étiquette qui indiquait la taille et Simon aperçut, sous les lunettes, de longs cils épais et noirs.

— C'est un 38, dit-elle. S'il vous faut une autre taille, nous en avons peut-être en stock. Nous pourrions aussi vous la commander. Ce serait pour un cadeau, n'est-ce pas ?

Simon s'efforçait de rassembler ses esprits. Il ne pouvait offrir cette robe à Diane alors qu'elle allait se fiancer à un autre. Mais il n'avait aucune envie de laisser s'éloigner cette fille de rêve…

— Mmm, je ne suis pas sûr de la taille, s'entendit-il répondre en se demandant si elle avait deviné que ce n'était qu'un prétexte.

Il enfonça les mains dans ses poches. Son sexe était si dur, si lourd qu'il se demandait si son érection n'était pas visible.

Apparemment habituée à la stupidité masculine, la fille le gratifia d'un sourire encourageant.

— Votre amie a-t-elle à peu près ma taille, ou bien celle de Fran, ou de Nita ?

Il fit semblant d'observer les deux vendeuses, plus petites que Diane et plus minces.

— Plutôt la vôtre, dit-il alors qu'elle était la plus fine de toutes.

Elle lui fit un clin d'œil, et cette familiarité inattendue eut pour effet de l'embraser.

— Très bien, je vais l'essayer pour vous, répliqua-t-elle en ôtant la robe du mannequin.

Simon s'aperçut alors qu'elle tenait, dans l'autre main, un tableau et un marteau.

— Oh ! Je vous ai interrompue. Vous alliez l'accrocher ?

— Pas de problème, le clou est déjà en place. De toute façon, les clients passent en premier.

— Donnez-le-moi. Je vais le suspendre pendant que vous vous changez.

Il constata avec soulagement qu'il parvenait à parler normalement. Amusée, elle lui confia le cadre et tandis qu'elle s'éloignait, la dénommée Nita lui indiqua où se trouvait le clou.

— Elle essaie d'améliorer le décor, murmura-t-elle alors qu'il soulevait le tableau pour l'accrocher.

Il l'entendit à peine, de même qu'il ne regarda pas ce que représentait la peinture.

Simon s'y connaissait encore moins en art qu'en femmes, mais la beauté du tableau le frappa quand il prit enfin le temps d'y poser les yeux. Il représentait une jeune femme potelée penchée à une fenêtre de style méditerranéen, le visage offert au soleil, l'air joyeux. Si elle n'avait porté une robe moderne, il aurait pu croire qu'il s'agissait d'une peinture du XIXe siècle. Le style lui rappelait Manet, avec un « a » et non un « o » comme celui qui avait peint *Les Nénuphars*.

Voilà qui ferait un cadeau parfait pour Diane, pensa-t-il, son esprit pratique reprenant le dessus. Et elle pourrait toujours le revendre, au besoin.

— Je l'achète, dit-il sans se retourner, croyant avoir affaire à la même vendeuse.

— Il n'est pas à vendre, répondit la voix voilée.

— Bien sûr que si. Dites-moi votre prix.

La main dans sa poche intérieure pour prendre son chéquier, il pivota et oublia aussitôt le tableau et tout le reste. Il demeura fasciné, incapable de détourner les yeux de ce qu'il découvrait. La soie rouge la moulait comme une seconde peau. Le dragon brodé en fils d'or se déroulait sous sa poitrine qu'il mettait en valeur.

Simon promena son regard jusqu'aux genoux où s'arrêtait la robe, puis sur la rondeur des mollets qui semblaient faits pour se mouler dans la paume d'une main : la sienne. Elle était la sensualité incarnée.

— Ce tableau m'appartient, expliqua-t-elle avec un calme qui étonna Simon, dont l'univers était en train de chavirer. C'est une amie qui l'a peint. Si vous voulez, je peux vous donner sa carte et vous vous mettrez en contact avec elle. Elle habite Paris et n'a aucune idée de la valeur de son travail. Vous pourriez faire une bonne affaire.

C'était beaucoup trop compliqué pour l'esprit en déroute de Simon.

— Êtes-vous libre pour déjeuner ?

Le sourire de la fille s'évanouit. Si elle avait été un chat, son poil aurait frémi. Tout à coup, Simon prit conscience de la façon dont il se comportait. Il insistait pour lui acheter son tableau comme un gros richard qui ne doutait de rien, l'invitait à déjeuner alors qu'il venait acheter un cadeau à une autre femme…

— Je suis désolé, dit-il en réfléchissant à toute vitesse. Je ne voulais pas vous offenser. Je prends la robe. Vous pouvez la faire livrer à mon bureau.

Il lui donna sa carte professionnelle et sa carte American Express, qu'elle posa à l'envers sur le comptoir de la caisse.

— Nita vous téléphonera, dit-elle froidement.

Simon maudit son inélégance. Il était très mauvais dès qu'il s'agissait de draguer une femme qui lui plaisait. Pourquoi Diane s'était-elle fiancée ? Bon, d'accord, c'est grâce à ces fiançailles qu'il était entré ici et était tombé sur cette fille à couper le souffle.

Il la regarda s'éloigner, le cœur serré. Elle était aussi époustouflante de dos que de face. Et elle avait des petites fesses… Il la voulait. Absolument. Jamais il ne s'était senti aussi déterminé depuis que le magazine *Fortune* lui avait prédit qu'il dirigerait l'entreprise de son père. Cette femme représentait un défi qu'il ne pouvait ignorer, mais pour l'instant il devait battre en retraite. Il n'avait pas le choix.

Le mercredi, Lela jeta un coup d'œil depuis la cabine d'essayage. M. Je-peux-acheter-qui-je-veux semblait vouloir de nouveau tenter sa chance. À la lueur qu'elle avait vue dans ses yeux, comme dans ceux de beaucoup d'hommes, elle savait qu'il reviendrait.

Restait à savoir si elle avait envie de se laisser séduire.

Il était dans le rayon lingerie, en train de l'attendre apparemment. La matinée avait été calme et elle nettoyait les miroirs quand il était arrivé. Thérèse, la directrice du magasin qui était enceinte, avait salué son initiative. Pauvre femme. Elle s'imaginait avoir tiré le gros lot avec elle. La veille au soir, lorsque Lela avait manifesté le désir de l'aider à faire les comptes de la journée, Thérèse les avait étalés devant elle sans hésiter.

— Comme j'apprécie que vous soyez là ! avait-elle ajouté en frottant son ventre rond. Mon médecin me tuerait si je ratais les cours d'accouchement sans douleur.

Ce n'était pas très beau de convoiter le poste d'une femme enceinte, mais quand Lela aurait les rênes, elle ne laisserait personne voir les comptes, et ses vendeuses n'iraient pas se cacher dans les salons d'essayage.

En temps normal, elle n'aurait jamais fui, et encore moins devant un homme. Mais celui-là sortait vraiment de l'ordinaire. Il avait un visage impressionnant, presque sinistre : une bouche dure, une mâchoire carrée, des yeux presque noirs. Ses sourcils se relevaient aux extrémités, achevant de lui donner un air diabolique. Sa peau semblait porter les traces d'une acné juvénile mais, pour une raison étrange, cela ne faisait que le rendre plus sexy. Ses cheveux noirs étaient raides et courts, coupés en brosse. Elle ne pensait pas que cette coiffure fût voulue, mais plutôt imposée par des cheveux trop drus pour se discipliner autrement. Le genre qui donnait envie à une femme d'y glisser les doigts. Pire : sa barbe naissante amena Lela à se demander ce qu'il faisait de toute cette testostérone.

Elle s'appuya au chambranle en se rappelant qu'il n'était qu'un homme : deux bras, deux jambes, un sexe. Mais le reste de sa personne était aussi imposant que son visage. Il était grand : un mètre quatre-vingts et quelques centimètres. Peut-être moins. Sa prestance le grandissait. Il marchait dans la boutique comme s'il avait l'intention de la conquérir, les épaules en arrière, les poings serrés, le pas ferme. Son costume taillé dans un tissu fluide ne marquait pas la ligne de son corps mais on le devinait solide et musclé, en accord avec l'arrogance de son regard.

Cet homme agissait sur elle comme un révélateur de ses instincts sexuels. Pour le dire vulgairement, il la faisait mouiller. Irritée, elle fronça les sourcils. C'était vraiment la dernière chose qu'il lui fallait en ce moment. Elle venait à peine de se détacher d'Andrew, et elle avait un mois pour découvrir comment relancer ce magasin. De plus, elle avait entrepris de se prouver qu'elle n'était pas seulement un passe-temps agréable pour un homme.

Alors elle rassembla son courage, s'imaginant Béa sur sa bicyclette dans la circulation parisienne. Que risquait-elle à affronter cet insolent personnage ? Carrant les épaules, elle écarta le rideau de velours à franges de la cabine et sortit de sa cachette. Il n'était pas censé être là pour elle, après tout.

— Bonjour, dit-il en lâchant la guêpière en soie qu'il examinait.

Sa voix profonde faisait naître des frissons sous la peau de Lela. Pour dissimuler son trouble, elle effleura la culotte abricot qu'il tenait un instant plus tôt.

— Vous cherchez toujours quelque chose pour votre amie ?

Il hocha la tête en plongeant son regard dans le sien avec une pointe de défi et en même temps, une ardeur trahissant qu'il n'avait pas renoncé à la séduire. Loin de là.

— La robe ne peut lui convenir. Elle est fiancée. Je voulais lui acheter le tableau.

Il devait y avoir un lien entre ces trois phrases, elle n'en doutait pas. Alors qu'elle s'était promis de rester professionnelle, elle se surprit à lui sourire.

— Je peux toujours vous donner la carte de mon amie.

— C'est vrai, j'aurais dû la prendre l'autre jour mais vous m'avez rendu nerveux, avoua-t-il comme s'il le lui reprochait.

Le sourire de Lela s'élargit. Voilà un jeu auquel elle ne pouvait résister.

— Vraiment ? dit-elle d'une voix charmeuse. Je n'avais pas l'intention de vous rendre nerveux, vous savez.

Il grommela entre ses dents et souleva la guêpière du présentoir.

— Je suppose que vous allez me gifler si je vous demande de l'essayer ?

— Ce ne serait pas convenable.

— Et de vous offrir une compensation le serait encore moins, j'imagine.

— En effet, répliqua-t-elle en posant les mains sur sa taille, amusée au plus haut point par ce Casanova renfrogné. *Meilleurs Amis* n'est pas un peep-show.

Il soupira et Lela le trouva irrésistible, tout à coup. Elle ne s'attendait pas à réagir ainsi, mais elle ne savait comment lutter. Une pulsion inconnue la poussait à laisser cet homme franchir la petite porte secrète qui la protégeait. Quel plaisir ce serait pour elle de faire disparaître cet air maussade qu'il affichait ! La perspective l'excitait. Elle jeta un coup d'œil dans le magasin. Il était le seul client. Thérèse était partie pour son déjeuner quotidien et elle en avait pour deux heures. Selon Nita, leur patronne passait plus de temps chez son psy qu'au restaurant. Lela avait alors demandé s'il était aussi le père de l'enfant.

— Non, avait répondu Nita en souriant. Elle s'est fait mettre enceinte par un autre pour se venger des infidélités du Dr Sam.

Les deux vendeuses étaient penchées l'une vers l'autre, en grande conversation, sans doute en train de commérer. Mais elle s'en moquait et ne craignait pas de devenir l'objet de leurs ragots, maintenant qu'elle connaissait leurs points faibles.

Si elle voulait, si elle osait, elle pouvait prolonger cette aventure étrange avec cet homme.

Elle posa la main sur la sienne comme il s'apprêtait à remettre la guêpière en place.

— Mais je pourrais faire une exception pour un ami.

Il changea aussitôt d'attitude, le jeune homme bougon se métamorphosant en homme attentif.

— Un ami ? Et comment définissez-vous l'amitié ?

Elle effleura son poignet. Il était incroyablement réceptif, remarqua-t-elle en frissonnant.

— Un ami… traiterait les miens avec respect. Il prendrait la carte de mon amie et lui demanderait à voir des photos de son travail. Il lui achèterait ou non un tableau, mais au moins, il s'y intéresserait.

— Je le ferai peut-être, dit-il en plissant les yeux. Mais je suppose que vous l'ignorez.

— Oui, parce que je ne vous connais pas.

Le cœur battant, elle s'approcha de lui et toucha sa main. Le contact fut électrique. Sa peau était chaude et calleuse. Cet homme ne se contentait pas de rester assis derrière un bureau. Elle dut renverser légèrement la tête en arrière pour capter son regard, et elle cligna des yeux. Les siens n'étaient pas noirs du tout, mais d'un bleu très sombre. Ça alors, des yeux bleu marine… songea-t-elle. Pour une raison inconnue, cette découverte aggrava son trouble.

— Toute amitié exige un élan de confiance initial, déclara-t-elle.

Il acquiesça et aventura ses doigts vers la paume de sa main. La caressa. Lela frémit de tout son être. Quand il parla, sa voix était tellement rocailleuse qu'elle déglutit avec peine.

— J'aimerais voir ce modèle en privé, murmura-t-il.

— Bien sûr. Je ne l'entendais pas différemment.

Elle sentait son entrejambe s'embraser dangereusement, signe que la situation allait bientôt lui échapper.

Mais elle garderait le contrôle, se promit-elle. Ce jeu était délicieux et elle avait très envie de s'amuser.

Sans lui lâcher la main, elle le précéda vers l'arrière-boutique, devinant son regard fixé sur ses fesses.

Il se faisait l'effet d'être un petit garçon qui risquait de se perdre, sans elle. La moquette assourdissait leurs pas mais il était à peine conscient de ce qui les entourait. Elle portait une robe en cachemire vert pâle et le mouvement de ses jambes était une merveille à contempler. La vue de ses chevilles fines l'émouvait. Celle de ses fesses lui donnait des bouffées de chaleur.

Ils parvinrent à une grande porte en acajou devant laquelle elle se retourna afin de s'y appuyer, comme pour lui en interdire l'accès. Mais ses yeux pailletés d'or disaient tout autre chose.

— C'est notre cabine privée, dit-elle en caressant le bois. Toutes les boutiques *Meilleurs Amis* en possèdent une. Nous les réservons à nos meilleurs clients. Personne ne vient les déranger, ici. Ils peuvent se changer autant qu'ils le veulent sans voir personne.

Il se racla la gorge.

— Une délicate attention.

— Aimeriez-vous entrer ?

Cette proposition l'enflamma.

— Vous connaissez la réponse.

Elle sourit, relevant l'un des coins de sa bouche délicate. Elle avait l'intention de le rendre fou, c'était clair, et il n'était pas sûr d'être capable de l'en empêcher. Ni même de le souhaiter.

Baissant les yeux, elle prit une clé qu'elle portait à une chaîne, autour du cou.

Il retint son souffle quand elle l'introduisit dans la serrure et ouvrit. D'un signe, elle l'invita à entrer et il se retrouva dans une petite pièce octogonale tapissée de miroirs. Une deuxième porte était située en face de la première. Une sortie vers l'arrière du magasin, supposa-t-il.

Deux bancs capitonnés de velours vert trônaient de part et d'autre de la cabine. Simon tâta les coussins de l'un d'eux et s'y assit. La porte se referma dans un léger cliquetis.

— Je suppose que vous avez envie de me regarder me déshabiller, déclara-t-elle de sa voix douce comme le miel.

Une voix terriblement sensuelle.

— Oui, mais seulement si cela ne vous gêne pas.

Elle accueillit sa réponse avec un sourire et passa une main sur le devant de sa robe.

— Vous pouvez m'aider à me sentir plus à l'aise.

— Il vous suffit de me dire comment m'y prendre.

— Enlevez votre veste, dit-elle en reculant vers l'autre banc.

Il posa la guêpière et pendant qu'il s'exécutait, elle ne le quitta pas un instant des yeux.

— Votre cravate, ajouta-t-elle.

Il l'enleva aussi, la plaça sur sa veste et ouvrit le premier bouton de sa chemise en remarquant que les seins de la jeune femme se soulevaient plus vite et pointaient sous la robe. Comme l'autre fois, elle ne devait pas porter de soutien-gorge.

— Maintenant, je serais très heureuse que vous écartiez les jambes, continua-t-elle.

Simon rougit en réalisant qu'elle voulait voir s'il était en érection. Se sentant un peu ridicule mais terriblement excité, il lui obéit, exposant un sexe dont la tension était évidente sous le pantalon. Le gland devait arriver à la ceinture… Elle prit son temps pour le contempler, centimètre par centimètre, comme si elle s'en délectait. D'ailleurs, elle passa sa langue entre ses lèvres et une pulsion de désir le mit en feu.

— Gros. XXL. Ceux que je préfère.

Il rit sans pouvoir répondre. Son esprit ne fonctionnait plus normalement.

Elle commença à relever sa robe sur ses cuisses.

Elle portait des bas sous le cachemire, de vrais bas de soie retenus par un porte-jarretelles en dentelle ivoire très fine. Cette découverte fit battre son cœur frénétiquement. Sa peau était lisse, immaculée, son ventre doux et à peine arrondi. On voyait un peu trop ses côtes, mais cela lui donna envie de les caresser pour en adoucir le relief. Ses seins apparurent enfin, hauts et fermes, avec des aréoles d'un rose clair qui lui mirent l'eau à la bouche. La robe passa par-dessus sa tête et elle se tint face à lui, les bras le long du corps, absolument ravissante. Elle s'exposait, mais très simplement. Sans ostentation. Ses cheveux étaient ébouriffés comme si elle venait de se lever et sa bouche était plus rouge. Ce jeu l'enfiévrait, mais elle ne lâcha pas pour autant les commandes.

— Je voudrais voir votre sexe, laissa-t-elle tomber dans un souffle. Défaites votre pantalon, s'il vous plaît.

Il batailla avec sa ceinture puis descendit la fermeture Éclair d'une main tremblante. Il écarta ensuite les pans de son caleçon.

— Complètement, dit-elle.

Simon s'était rarement demandé ce que les femmes pensaient de son sexe. Il savait qu'il était grand et capable de les satisfaire. C'était ce qu'on lui demandait, non ? Mais aujourd'hui, sous le regard de cette fille, il prit soudain conscience de sa couleur un peu sombre, des veines apparentes, des poils qui bouclaient tout autour.

— Désolé.

Elle rit.

— Ne soyez pas désolé, répliqua-t-elle. Vous avez un sexe superbe. Très viril. Très ardent.

— J'ai envie de vous toucher.

Elle s'avança pour le voir ouvrir complètement son pantalon, puis recula. Le dos de ses genoux heurta le banc. Elle y grimpa et s'assit en repliant les jambes sous elle, avant d'enlever ses lunettes.

— Non, décréta-t-elle fermement. Vous ne me touchez pas.

Il se contenta donc de regarder sa main qui descendait le long de son ventre puis sous sa culotte, tandis que la sueur perlait sur son front.

— Je vais vous montrer comment je me fais jouir, dit-elle en se soulevant.

Et elle s'y adonna naturellement, sans prendre des poses ou gémir comme dans les films pornographiques. Ses doigts se démenaient sous la dentelle, pressaient les lèvres, faisaient des cercles sur son clitoris, pendant que de l'autre main elle malaxait ses seins. Il ne voyait pas son sexe, mais diverses expressions sur son visage au fur et à mesure qu'elle se caressait révélaient la tension légère de la montée du plaisir. Ses muscles fessiers se contractaient à l'approche de l'orgasme. Il les apercevait dans le miroir. Ce mouvement augmentait-il le plaisir ? Se propageait-il à son sexe ? Avait-elle envie d'être pénétrée par un homme en ce moment ?

Il ne pouvait la questionner, de peur de rompre le charme. Toute à sa volupté, elle ferma les yeux. Le mouvement de sa main s'était accéléré et il n'en revenait pas qu'elle reste si calme. Il entendait le frottement de la dentelle. Impatient de la voir succomber à l'extase, Simon sentit des palpitations le parcourir. Elle avala de l'air et l'orgasme l'emporta. Elle frémit de tout son être en une brève convulsion, le visage empourpré.

Le sourire aux lèvres, elle se laissa aller contre le miroir, les traits détendus. Elle rouvrit les paupières.

— À vous, maintenant.

Il avança une main vers son érection mais s'interrompit, incapable de se toucher devant elle. Elle s'était pourtant mise à nu devant lui, sans barrière, comme aucune femme ne l'avait jamais fait, mais il ne pouvait pas en faire autant, même s'il mourait d'envie de soulager le désir qui le faisait bouillir.

— Je ne peux pas.

Elle dut deviner son dilemme, car elle lui répondit gentiment :

— D'accord. Vous avez été bon public.

Il l'avait déçue. Se maudissant, il referma son pantalon et remonta la fermeture alors qu'elle se détournait pour remettre sa robe. La ligne de sa colonne vertébrale était gracieuse. Il regretta de ne pas y avoir promené sa main.

Quand elle eut fini de s'habiller et se retourna, elle avait retrouvé son sourire teinté de dédain.

Une attitude que Simon ne pouvait accepter.

— Je veux vous revoir, dit-il.

Elle croisa les bras.

— Qu'avez-vous à m'offrir ?

— Je suis un homme puissant. Je pourrais faire un tas de choses pour vous, répondit-il tout en sachant qu'il avait tort de parler ainsi.

Il ne s'étonna pas lorsqu'elle secoua la tête en soupirant.

— Je connais un tas d'hommes puissants.

— Dans ce cas, considérez-moi comme un défi. Vous avez voulu m'apprendre une leçon que je ne comprends pas.

— Et vous pensez que je devrais recommencer, n'est-ce pas ?

— Oui.

Il ne put rien ajouter. Ni lui promettre que la prochaine fois, il se soumettrait à sa volonté. Il baissa la tête, la releva et lui tendit la main en souhaitant vraiment qu'elle la prenne.

— Je m'appelle Simon.

Amusée, elle serra les lèvres en tendant le bras.

— Lela, dit-elle.

Sa poignée de main était ferme, ses doigts encore un peu chauds après l'exercice qu'ils venaient de fournir. Mais le contact se prolongea plus que nécessaire. À moins qu'il ait tenté de la retenir…

Il prit ensuite une carte dans son portefeuille et la lui donna.

— Appelez-moi, Lela. S'il vous plaît.

Elle le regarda, indécise.

— Vous ne me connaissez pas. Tout ce que vous savez, c'est ce que nous venons de faire et ce que vous espérez faire la prochaine fois.

De quoi l'accusait-elle, exactement ? Il répondit par pur instinct, comme il le faisait chaque fois qu'une négociation délicate menaçait de lui échapper.

— Ce que je sais ou pas n'a pas d'importance. Je vous laisse le choix. À vous de décider si vous êtes intéressée.

— N'y comptez pas trop.

Mais elle ne pourrait s'en empêcher. Il était trop tard.

8

Il avait le sexe le plus viril qu'elle eût jamais vu.

Lela s'adossa contre la porte et ferma les yeux sans parvenir à effacer l'image des pulsations qui avaient parcouru ce membre d'une largeur presque effrayante. Elle aurait eu envie de raser la petite toison bouclée qui en ombrait le bas, pour mettre en valeur ce sexe dans toute sa majesté.

Une douce chaleur s'insinua entre ses jambes.

Mais prendrait-elle ce risque avec un homme qui avait le pouvoir de réveiller ses instincts rebelles ? Ceux de la petite fille qui avait évité de justesse les pièges des foyers d'accueil. Dans un système où les enfants quittaient le lycée sans être allés jusqu'au bac, Lela avait un diplôme universitaire. Elle n'avait pas sombré dans la drogue, elle n'était pas devenue une mère célibataire. En s'y prenant bien, elle s'assagirait, s'intégrerait à la société et paierait ses impôts comme tout le monde.

Mais ce n'était pas en batifolant avec les clients sur son lieu de travail qu'elle y parviendrait. Et elle commençait à peine !

Elle perçut un bruit de serrure derrière elle, à travers la porte. Simon était sorti par-derrière. Tant mieux, songea-t-elle avec pourtant une pointe de regret. Cet homme se contrôlait à merveille. Le désir avait incendié son regard mais il était resté assis sur le banc comme s'il y avait été scellé. Il l'attirait et, en même temps, elle redoutait ce pouvoir qui émanait de lui.

En tout cas, sa façon de regarder le spectacle qu'elle lui avait offert l'avait galvanisée.

— Tu es là, dit Nita en apparaissant dans le couloir. Fran attend que tu reviennes dans la boutique pour partir déjeuner.

Lela se reprit aussitôt, espérant que son sentiment de culpabilité ne transparaissait pas sur ses traits.

— J'y allais, justement.

Nita l'observa de plus près.

— Qu'est-ce qui t'arrive ? Tu es toute rouge.

— J'ai passé l'aspirateur dans la cabine, au cas où quelqu'un d'important viendrait.

— Je m'inquiète pour toi. Tu travailles trop.

— Ne dis pas ça, répondit Lela en lui prenant le bras. Je fais juste ce qu'il faut. On ne sait jamais où un job comme celui-ci peut nous mener, et si un client ne deviendra pas notre patron demain.

Nita leva les yeux au ciel.

— C'est vrai, insista Lela en pensant à la réflexion de sa dernière assistante sociale. C'est aujourd'hui que tu construis ton avenir. Je sais que cela te paraît stupide et que tu veux continuer à sortir, à t'amuser et à en faire le moins possible jusqu'à ce que quelque chose de concret se présente. Mais moins tu perds de temps pour poser les fondations de ton avenir, plus les chances seront de ton côté. Imagine que tu te réveilles un jour en réalisant que tu as trente ans et que ta carrière n'a toujours pas débuté.

Nita la considéra comme si elle avait perdu l'esprit. De ses doigts aux ongles laqués, elle ramena ses cheveux noirs derrière ses oreilles.

— Tu devrais sortir davantage, Lela.

Lela eut un soupir de résignation en la suivant vers la boutique. Elle avait réagi de la même façon quand miss Thompson lui avait fait son petit discours, à l'époque. Lorsqu'elle vivait en foyer, bien se comporter, c'était être ignorée. Elle secoua la tête. Comment pourrait-elle diriger un magasin si elle était incapable d'insuffler aux autres un minimum de sens des responsabilités ? Elle risquait d'avoir besoin d'un peu de temps pour apprendre.

Des cours de management, voilà ce qu'il lui faudrait. Elle ralentit inconsciemment le pas en se souvenant de la carte de visite qu'elle tenait dans sa main moite. Qui mieux qu'un homme évoquant l'autorité et le pouvoir à tout point de vue, pourrait faire son éducation ?

Le carton ivoire était froissé.

SIMON GRAVES, lut-elle. *PRÉSIDENT-DIRECTEUR GÉNÉRAL – GRAVES DEPARTMENT STORES.*

Simon Graves… Mais, n'était-ce pas le patron d'Andrew ? Celui qu'il lui avait proposé de rencontrer lors d'un dîner, suggestion qu'elle avait refusée ?

Andrew n'était qu'un salaud, pensa-t-elle.

Mais elle souriait en entrant dans la boutique.

Ignorant les mises en garde de sa raison qui lui rappelait que Simon était un homme dangereux, elle se dit que si le destin l'avait mis sur son chemin, elle ne devait pas l'en écarter. Elle avait besoin d'un mentor, et elle l'avait trouvé.

Il faudrait qu'elle soit bien bête pour ne pas l'appeler.

Elle n'avait pas appelé, songeait Simon, de plus en plus nerveux au fur et à mesure que l'après-midi s'écoulait. En même temps, il avait conscience qu'il était idiot de croire qu'elle donnerait signe de vie aussi vite. Tout d'abord, elle était toujours à son travail, et ensuite, elle n'était pas du genre à agir précipitamment. Le problème était qu'il lui avait donné sa carte professionnelle et qu'elle ne comportait que son numéro au bureau. Si elle ne téléphonait pas avant dix-huit heures, il passerait une mauvaise nuit.

En outre, il était coincé par cette réunion avec Andrew et les financiers.

Il ne percevait de la discussion qu'un bourdonnement indistinct. Incapable de se concentrer, il avait l'esprit ailleurs. Ignorant le haussement de sourcils interrogateur d'Andrew, il décrocha le téléphone et demanda d'emblée à Mme Winters :

— Quelqu'un m'a appelé ?

— Non, monsieur, répondit-elle d'une voix qui commençait à trembloter.

Bon sang, qu'est-ce qu'elle l'énervait ! Il n'était pas un ogre, quand même !

— Bon, si une certaine miss...

Mince, il ne savait même pas le nom de famille de Lela ! Comme un imbécile, il ne le lui avait pas demandé.

— Merde, jeta-t-il entre ses dents.

— Miss... Merde ? répéta Mme Winters, hésitant entre la stupeur et l'horreur.

Simon posa une main sur son front, trop frustré pour rire.

— Excusez-moi, madame Winters. Si une jeune femme prénommée Lela m'appelle, passez-la-moi dans la salle de conférences A.

— Oui, monsieur. Certainement.

Simon n'avait plus qu'à espérer que sa requête n'aurait pas de nouveau un effet regrettable sur les douleurs à l'estomac de sa secrétaire.

— Alors ? lança-t-il sèchement à Andrew qui le considérait d'un œil amusé. Je t'écoute. Continue.

— Eh bien, j'étais en train de dire, et Roger ici présent est d'accord avec moi, que leurs facilités bancaires constituent leur point faible.

Roger approuva de la tête et sa pomme d'Adam tressauta sous l'effet de la nervosité.

— Oui, monsieur Graves. Si les banquiers devenaient inquiets à propos de leur capacité à rembourser, nous pourrions racheter leurs hypothèques à bas prix, particulièrement celles des magasins européens. Si nous décidons d'avancer…

— Oui. Si, l'interrompit Simon.

Il tapotait sur le bord de la table autour de laquelle cinq hommes étaient rassemblés. En face de lui, le portrait de son père était suspendu sur un panneau en noyer. Howard Graves se dressait fièrement devant son vieux bureau, un grand sourire aux lèvres. Il portait au poignet la montre en or qu'il avait donnée à son fils le jour où il s'était retiré, en déclarant :

— Je pars tranquille, avec la certitude de laisser mon « bébé » entre de bonnes mains.

Jamais Simon n'avait été aussi fier que ce jour-là. Il faudrait qu'il appelle son père pour lui parler de ce projet d'acquisition. Tess, sa mère, lui avait dit qu'il avait bien récupéré depuis son attaque. Heureusement, son intelligence n'avait pas souffert. Elle était aussi aiguisée que jamais.

Plus calme, il reporta son attention sur ses compagnons.

— Pas de magouilles, dit-il. Si nous nous lançons dans ce rachat, je ne veux rien de hasardeux, et encore moins de douteux dans notre entreprise. La presse s'en emparerait immédiatement.

— Oui, monsieur, murmurèrent-ils en chœur.

Agacé par leur docilité, il les congédia. Seul Andrew s'attarda.

— Alors, dit-il en faisant glisser son bloc-notes sur la table. Tu as rencontré Lela.

Simon se laissa aller dans son fauteuil.

— Ce n'est tout de même pas à cause d'elle que tu as tant insisté pour que j'aille chez *Meilleurs Amis* ?

Andrew haussa les épaules avec un petit sourire en coin.

— J'ai pensé que vous pourriez vous entendre. Vous avez pas mal de choses en commun. Et puis c'est une bombe, non ? Si tu vois ce que je veux dire.

— Tu es sorti avec elle ? Bon sang, Andrew, je n'ai pas besoin de récupérer celles que tu as larguées !

— Pour être franc, c'est elle qui m'a largué.

— Putain ! jura Simon en frappant la table de ses deux mains.

Andrew avait sursauté, mais ce qui importait à Simon, c'était de savoir qu'il avait couché avec cette fille. Avant lui, songea-t-il dans un accès de colère totalement irrationnel.

— Réfléchis, vous ne vous attendiez pas à vous rencontrer, ni l'un ni l'autre. S'il s'est passé quelque chose entre vous, je n'y suis pour rien. J'ai seulement donné un petit coup de pouce au destin.

— Au destin ! répéta Simon qui n'aimait pas du tout ce mot dans la bouche d'Andrew.

Le destin n'avait rien à voir en ce qui les concernait, Lela et lui. Mais si c'était le cas, si quelque chose d'important était en train de naître entre eux, il ne voulait pas le devoir à Andrew.

Il se leva et lui posa son index sur le sternum.

— À partir de maintenant, tu restes en dehors de ça.

— Évidemment, répondit l'autre en écartant les mains, paumes vers le haut. Compte sur moi.

Et il s'en alla avec un petit sourire moqueur que Simon feignit d'ignorer.

Le téléphone sonna à dix-huit heures trente. Simon décrocha et le tint un instant contre son torse.

Calme-toi, s'ordonna-t-il. Tu n'as pas seize ans !

Il répondit d'un ton vif, puis rougit en reconnaissant la voix veloutée, bien timbrée, pleine de rire. Lela accepta de dîner avec lui mais refusa le Lutèce, le Palm ou n'importe quel établissement du quartier de Little Italy à Manhattan.

— Je vous ferai la cuisine, décréta-t-elle.

Cette déclaration emplit Simon d'un plaisir inattendu. Elle voulait cuisiner pour lui !

— Quelle bonne idée.

— Une idée intéressée. Je veux que notre petite négociation ait lieu chez moi.

— Parce que nous sommes en négociation ?

Elle rit et lui donna son adresse.

— Vingt heures. Et inutile de mettre une cravate.

Simon n'était pas né de la dernière pluie, mais le quartier de Lela le choqua. Des mauvaises herbes poussaient dans les interstices des trottoirs, jonchés de préservatifs et d'ampoules de crack parmi les feuilles mortes. Son immeuble, une épaisse bâtisse en brique rouge qui ressemblait plutôt à un entrepôt, était vraiment miteux. On avait dû en prendre soin, à une certaine époque. Des détails en fonte ornaient encore les fenêtres. Des colonnes soutenaient des arches aux courbes soulignées par des feuilles de chêne. Mais on était très loin des quartiers bourgeois. Les murs de l'entrée étaient couverts de graffitis attestant que les jeunes du coin marquaient leur territoire. Le verre de la caméra de sécurité située au-dessus de la porte était fendu.

Il faut que je la sorte d'ici, se dit-il en se demandant si elle accepterait. Mais il ferait mieux d'attendre de voir comment se passerait ce premier rendez-vous, au lieu d'anticiper. En fait, il n'était même pas certain qu'il s'agisse d'un rendez-vous. Elle avait parlé d'une négociation. Avec un soupir, il essuya ses mains moites sur le pantalon en toile kaki qu'il portait. Il n'était plus très sûr d'avoir bien choisi, soudain, mais bon. Il regarda les noms sur l'interphone en se disant qu'il aurait été plus à l'aise dans un agréable restaurant. Mais évidemment, c'était justement pour cela qu'elle avait refusé.

À son grand soulagement, elle répondit quand il appuya sur le bouton marqué L. *Turner.*

Elle lui indiqua brièvement l'étage. Au moins, il savait son nom de famille, maintenant. Il monta dans un ascenseur démodé qui grinça de partout et eut la surprise de la voir sur le palier, lorsqu'il ouvrit la grille pour sortir de la cabine, dans une robe longue sans manches de couleur turquoise. Elle n'avait rien de sexy. Sur une autre, elle aurait paru commune. Curieusement, la cuillère et les gants isolants qu'elle portait n'émoussèrent pas davantage son intérêt. Son sexe durcit dans la seconde. Il fit semblant de redresser son pantalon pour tenter de cacher l'effet qu'elle lui faisait. Il était trop tôt pour lui montrer à quel point il la désirait. Risquant un regard à son visage, il remarqua qu'elle n'avait pas ses petites lunettes qui lui allaient si bien.

— Désolée pour l'ascenseur, dit-elle. J'aurais dû vous prévenir.

Elle jeta un coup d'œil au bouquet de roses jaune pâle qu'il tenait.

— Je vais vous donner un vase, ajouta-t-elle.

Il la suivit dans un vaste appartement dont l'espace était presque entièrement ouvert. Des piliers en fonte gris clair soutenaient un plafond très haut. Des tapis usés mais très beaux recouvraient çà et là un sol en béton. Il y avait peu de meubles : un canapé, une table avec des chaises, une collection de lampes originales et un lit perché sur une estrade dans le loft. Sa bibliothèque faite de planches posées sur des parpaings était pleine de romans d'espionnage et de livres de voyage qui, vu leur format et l'état de leur couverture, semblaient avoir été achetés d'occasion. Le plus grand d'entre eux montrait des photos du Louvre. Un cadeau, songea-t-il, car contrairement aux autres, il était neuf. Il remarqua ensuite les couleurs de l'ensemble, une harmonie subtile et chaude de tons pêche et or, acajou et grège. Le tout baignant dans une odeur d'ail frit.

— Je prépare des spaghettis, expliqua-t-elle en disparaissant derrière un mur qui cachait ce qui devait être la cuisine. En général, je fais des lasagnes quand je veux impressionner un homme, mais nous aurions mangé à minuit.

Il hésita à la suivre et choisit finalement de rester où il était.

— J'adore les spaghettis.

Une pile de *Vogue* français trônait sur une table basse. Peut-être parlait-elle cette langue, ce qui n'était pas pour lui déplaire car il la trouvait terriblement sensuelle. S'efforçant de penser à autre chose, il se retourna et découvrit une tête humaine en plastique représentant la coupe d'un cerveau, placée sur la télévision. Il s'agissait peut-être d'un souvenir, ou du cadeau d'un petit ami intéressé par la médecine. Si c'était le cas, Simon préférait ne pas y songer. Il n'avait aucune envie de savoir quoi que ce soit sur ses précédents amants.

Décidément, cette fille lui inspirait des sentiments inattendus. Voilà qu'il se sentait possessif à son égard. Il la désirait trop, c'est tout, et il devait prendre garde sinon il allait perdre le contrôle.

— Sois passionné mais garde la tête froide, lui avait conseillé son père. C'est de cette façon que tu marqueras des points face à tes adversaires.

Simon se tourna vers un mur décoré de photos en noir et blanc. La plupart représentaient une jeune femme potelée, aux cheveux bouclés. Son visage aux pommettes rondes évoquait un ange de la Renaissance.

— Qui est-ce, sur ces photos ? s'enquit-il.

La tête de Lela apparut à la porte de la cuisine.

— C'est Béa, la peintre qui vit à Paris. Ma meilleure amie. Elle est comme une sœur pour moi.

— Qui a pris les photos ?

— Un petit copain de la fac.

Simon plissa le nez. Il n'avait aucune envie d'entendre parler de ses petits copains.

— Vous avez une sœur, je veux dire, une vraie sœur ?

— Comment ?

— Vous disiez que Béa était comme votre sœur.

Un silence lui répondit. Il n'insista pas. Il se concentra sur les bonnes odeurs qui lui parvenaient et s'approcha. Lela touillait de la sauce tomate dans une poêle où de la viande était en train de revenir.

— Il y a un vase sous l'évier, lui dit-elle.

Il s'accroupit pour ouvrir la porte du placard et découvrit une collection de vases. De toute évidence, ce n'était pas la première fois qu'on lui offrait des fleurs. Il en choisit un qui semblait correspondre, y mit de l'eau et y plongea le bouquet en s'efforçant de tempérer sa déception. Non seulement elle ne l'avait pas remercié, mais elle paraissait totalement insensible à son choix. Peut-être les fleurs ne convenaient-elles pas à une soirée comme celle-ci.

Ne sachant quoi dire, il s'approcha du comptoir pour la regarder préparer son plat. Elle semblait très à l'aise. De son côté, il se contentait d'ouvrir de temps en temps une cannette dans son luxueux appartement. Il commandait tous ses repas et tenta de se rappeler s'il avait déjà regardé une femme faire la cuisine, en dehors de la cuisinière de sa mère. Mais il s'en serait souvenu si cela avait été le cas, car il trouvait cela hautement érotique.

— Vous avez des photos de votre famille ? questionna-t-il en mordant dans une carotte qu'il avait trouvée sur le comptoir.

Elle s'interrompit.

— Non, rétorqua-t-elle avec une brusquerie inattendue.

Ne prenait-il pas lui-même ce ton sec qui dissuadait les gens d'insister, quand ils lui demandaient pourquoi il ne ressemblait pas à ses parents ? Non, elle n'était pas une orpheline, ce n'était pas possible. De telles coïncidences ne pouvaient exister. Elle n'entretenait certainement pas de liens étroits avec sa famille, voilà tout.

Il ouvrit la bouche pour essayer d'en savoir plus, mais elle attrapa un cœur de laitue et le plaça sur une planche à découper, devant lui.

— Tenez, rendez-vous utile.

Visiblement, elle ne voulait pas qu'il revienne sur le sujet. Simon ravala sa déception. Il avait envie de tout savoir d'elle, mais elle ne paraissait pas disposée à lui en dire davantage.

Lela alluma les bougies et mit une nappe blanche sur la table branlante. Les roses de Simon formaient un joli centre de table et se mariaient avec sa vaisselle en porcelaine à peine ébréchée. Satisfaite, elle lui servit un verre de vin avant de se mettre à griller ses tranches de pain frottées à l'ail. Ses souvenirs d'université le firent rire, particulièrement ceux qui concernaient Béa. Les lignes dures de son visage se détendaient peu à peu, et il défit le premier bouton de son polo bleu.

Malgré tout, il continuait de la rendre nerveuse.

Son pouvoir n'était en rien lié à ses costumes. Non, il émanait de lui, de son être profond, de son physique impressionnant. Elle devinait ses muscles denses et compacts sous ses vêtements un peu amples. Ses mains étaient superbes, grandes et harmonieuses. Elle se surprit à les observer plus d'une fois tandis qu'elles maniaient l'argenterie. La couleur de son polo faisait ressortir le bleu incroyable de ses yeux sombres. La sauce tomate rougissait ses lèvres, comme si trop de baisers les avaient tourmentées. Chaque fois qu'il les essuyait avec sa serviette, elle avait envie de gémir.

Il mangeait d'une façon presque méticuleuse, mâchant lentement comme s'il savourait chaque bouchée, et elle se demanda s'il se montrerait aussi minutieux au lit.

— Bon, dit-elle soudain. Si nous en venions au fait ?

Il posa son verre et sourit, mais il était sur ses gardes.

— Vous avez décidé de me donner une nouvelle leçon ?

— Oh, je vous en prie. Vous voulez seulement coucher avec moi.

Il pencha la tête pour l'observer, baissa les yeux vers sa poitrine puis les releva.

— Je ne pense pas être le seul à le vouloir.

À son grand déplaisir, elle se sentit rougir.

— Bon, d'accord, je suis toujours partante pour une partie de jambes en l'air. Mais je peux vivre sans.

Elle s'était exprimée avec une certaine dureté, mais il ne parut pas en prendre ombrage.

— Ce n'est pas pour me dire cela que vous m'avez invité, je me trompe ? Vous attendez quelque chose de moi, et j'aimerais savoir de quoi il s'agit.

— Ce que je veux n'est pas dans votre portefeuille, mais dans votre tête.

Il posa son menton sur sa main.

— Je vous écoute.

Si seulement il n'était pas aussi sûr de lui ! pesta-t-elle. Mais elle tenait à réussir et il n'était pas question de se laisser gagner par la colère.

— J'aimerais diriger le magasin dans lequel je suis employée et j'ai besoin d'apprendre le métier en un mois, dit-elle si vite qu'elle crut un instant qu'il n'avait pas compris.

C'était le sous-estimer.

— Un mois ?

— Êtes-vous en train de me dire que c'est trop court ?

— Je ne sais pas...

Elle se pencha vers lui. Il était sur le point de dire oui, elle le sentait.

— Je sais déjà pas mal de choses, précisa-t-elle alors. Sur la mode, sur les femmes qui adorent faire les boutiques. Mais je ne connais pas bien les détails pratiques et la gestion financière encore moins. J'ai aussi... besoin de conseils sur la façon de diriger les gens.

Il eut un petit rire.

— Sur ce dernier point, je pense que vous avez des dispositions naturelles.

— Des gens avec lesquels je ne couche pas, ajouta-t-elle sèchement. Écoutez, vous n'auriez pas besoin de vous en charger personnellement. Donnez-moi des livres, je les lirai. Envoyez-moi auprès de vos meilleurs employés. Je les observerai sans même qu'ils se rendent compte de ma présence. Je ne suis peut-être pas née avec une cuillère en argent dans la bouche, mais je suis intelligente. Probablement autant que la plupart des gens que vous connaissez.

— Je n'en doute pas.

Tant mieux, parce que de son côté, elle ne se sentait pas si sûre d'elle. On lui avait souvent dit qu'elle était intelligente, mais comment savoir vraiment ?

— *Utilisez votre cerveau, sinon c'est vous qu'on utilisera*, avait l'habitude de répéter un moniteur de l'un des foyers.

Lela lui faisait confiance, jusqu'à ce qu'il essaie un jour de la peloter dans la buanderie.

Mais ce n'était pas le moment de penser à ce genre de choses. Elle devait se concentrer sur Simon.

— Vous savez, répliqua-t-il en faisant tourner le vin dans son verre, je ne suis pas né non plus avec une cuillère en argent dans la bouche. Mon père m'a appris à me faire tout seul. Nos situations sont sans doute différentes, mais peut-être pas autant que vous l'imaginez. En fait, vous cherchez un mentor.

— Et vous une maîtresse... d'un autre ordre.

Elle vit ses narines frémir. À cause de ce qu'elle venait de dire ou à la perspective de la suite de la soirée ?

— Pas seulement une maîtresse. J'aimerais quelqu'un qui soit capable d'assurer en quelque sorte les relations publiques dans mes affaires.

— Pas de problème. Je suis sûre que ce serait très instructif.

Il sourit, comme s'il se réjouissait de l'avoir prise dans ses filets.

— Je vous verserai un salaire.

— Non, dit-elle avec une résolution qui la surprit elle-même. Pas d'argent, pas de cadeaux.

— Mais vous devrez vous habiller.

Elle rit.

— Écoutez, s'il y a une chose pour laquelle je garde toujours une partie de mon budget, c'est bien les vêtements.

— Et si j'avais envie de vous faire un cadeau ?

— Je préférerais une leçon.

— Alors j'essaierai de me refréner, répondit-il avec un sourire malicieux.

Pourquoi fallait-il qu'il soit aussi craquant ? gémit intérieurement Lela.

Elle se leva, plia sa serviette et la plaça près de son assiette. Elle avait proposé son marché, maintenant elle devait payer. Mais cela ne lui posait aucun problème, bien au contraire. Elle avait envie de lui. Terriblement envie. Son corps tout entier frémissait de désir. Elle allait enlever ses vêtements trop sages et le rendre fou.

Il dut deviner ses intentions car son regard s'obscurcit lorsqu'elle s'approcha de lui. Il lui tendit la main comme pour qu'elle l'aide à se lever.

— Marché conclu ? s'enquit-elle tandis qu'elle refermait ses doigts autour des siens.

— Je ne suis pas sûr de pouvoir attendre une minute de plus.

Pourtant, quand il fut debout, il se contenta de la serrer contre lui et de poser les lèvres sur ses cheveux d'une manière plus affectueuse que sensuelle. Comme s'il venait de retrouver une sœur perdue depuis longtemps. Le renflement bien dur qui se pressa en même temps sur son ventre n'avait toutefois rien de fraternel.

Avec un petit sourire, Lela plaça la tête au creux de son épaule. Il relâcha son étreinte dans un soupir. Ses mains étaient chaudes comme un soleil d'été. Elles s'aventurèrent dans son dos et se concentrèrent en de longues caresses sur sa colonne vertébrale.

Mmm... délicieuse sensation...

Elle referma les bras autour de lui, merveilleusement à l'aise. Son corps massif semblait solide comme le roc. Elle le caressa à son tour à travers le polo et descendit jusqu'au creux de ses reins. Puis vers ses fesses, qu'elle pinça doucement.

Il gémit en lui effleurant l'oreille de ses lèvres.

— Tu me rends fou.

Ah ! Enfin, il sortait de son rôle de P-DG rigide. Il se lâchait. Savoir qu'elle pouvait lui faire perdre son sang-froid lui plaisait infiniment. Ses pincements devinrent des caresses qui s'insinuèrent dans les creux, les zones secrètes. Entre les jambes.

Il sursauta.

— Au lit, grogna-t-il en la soulevant dans ses bras comme si elle était une enfant. Un vieil homme comme moi ne peut pas faire ça par terre.

Il l'emmena résolument vers les quelques marches de l'estrade. Lela se sentait merveilleusement passive, chose rare pour elle. Elle toucha ses lèvres du bout des doigts, puis les petites rides autour de ses yeux. Croyait-il vraiment qu'il était vieux ? Pour elle, il était parfait.

Peu après, il l'allongeait sur le lit et se redressait pour ôter son polo. Il avait un très beau torse, musclé, viril, avec une petite ombre velue qui s'affinait vers le ventre. Elle ne tarderait pas à y enfouir les doigts. Cette nuit, elle ne voulait aucune entrave.

Il ôta ses chaussures, et son pantalon glissa sur ses chevilles. Elle devinait son érection sous le caleçon. Dure. Irrésistible. Elle en eut l'eau à la bouche.

Il était magnifique.

Elle se redressa et se mit à genoux quand il la rejoignit.

— Déshabille-moi, dit-elle en levant les bras.

Il fit aussitôt passer sa robe par-dessus sa tête. Elle ne portait rien en dessous. Il la dévora des yeux, hésitant comme s'il ne savait pas par où commencer.

— J'aurais dû m'en douter.

Lela lui caressa le torse.

— Que veux-tu ? Je suis du genre à ne pas porter de dessous.

— Ton genre me plaît infiniment.

Il posa enfin ses mains sur ses fesses, l'attira vers lui en la soulevant pour la positionner sur ses cuisses, de sorte que son sexe se retrouve entre ses jambes. Près des replis moites et brûlants.

Elle se perdit dans les ombres de son extraordinaire regard.

— Tu ne m'as même pas encore embrassée.

Il baissa les yeux sur ses lèvres.

— J'ai le trac.

— Cela m'étonnerait que tu n'embrasses pas bien. J'ai plutôt l'impression que tu apprécies que tout ce que tu fais soit bien fait.

— J'essaie, admit-il avec une pointe de malice qui la surprit. Mais il est important de faire bonne impression, la première fois.

Elle rit, peut-être pour masquer son trouble. Il tenait donc à ce que leur premier baiser soit réussi… Qui aurait cru que XXL serait si romantique ? Elle noua les mains autour de son cou.

— Et si je t'embrassais, moi ?

— Non, c'est une initiative qui me revient.

Et il s'empara de ses lèvres. Avec une grande douceur. Comme un souffle. Un murmure. Comme s'il cueillait une fleur avec d'infinies précautions. Puis il l'attira plus près et pencha la tête, sa bouche à quelques millimètres de la sienne. Lela frémit d'anticipation. Leurs respirations se confondaient, brûlantes.

Il glissa ses mains sous ses fesses.

— Soulève-toi un peu. Je veux te prendre en même temps. Te pénétrer à la fois avec ma langue et avec mon sexe.

Ses paroles, sa voix soudain si rauque intensifièrent le brasier qui couvait en elle. Trempée de désir, elle lui obéit jusqu'à ce que le bout de son pénis, doux comme le satin, soit dans sa moiteur.

— Mmm... Oui, maintenant, grogna-t-il en capturant ses lèvres tout en insinuant son sexe puissant dans le feu de son ventre.

Il était incroyablement long et chaud. Avec un gémissement sourd, il se déhancha un peu. Mais il se mouvait lentement, comme pour savourer chaque seconde, retarder voluptueusement l'inévitable. Leurs peaux se mêlaient, ils tremblaient l'un contre l'autre.

Prise de vertige, Lela dut s'accrocher à ses épaules car elle avait l'impression d'être sur le point de basculer dans un autre monde. Il prolongea le baiser avant de s'écarter.

— Complètement, haleta-t-il en l'obligeant à écarter les cuisses à la limite du supportable.

En gémissant, elle redescendit le long de son pénis et il frissonna lorsqu'elle arriva en bas. Puis une expression indescriptible contracta ses traits. De la douleur ?

— Qu'est-ce qui ne va pas ? demanda-t-elle, avant de comprendre instinctivement qu'il était au bord de l'orgasme et essayait désespérément de se retenir.

Le plaisir menaçait de rompre les digues avec une violence extrême. Mais c'était justement ce que Lela attendait de toutes les fibres de son corps. Un feu liquide se déversa en eux.

Il le sentit. Ferma les yeux en tremblant.

— Merde, dit-il. Merde.

— Tout va bien, murmura-t-elle en lui massant les épaules. Je veux que tu me désires comme ça.

Il ouvrit les yeux, à présent noirs de passion.

— Je veux te faire l'amour sans retenue. Je ne peux pas attendre. Je ne veux pas.

Lela se contenta de sourire en lui léchant le cou. Puis elle lui mordilla le lobe de l'oreille, et ce fut comme si elle brisait la dernière digue.

Avec une sorte de feulement sauvage, il poussa au bas de son dos en même temps qu'il se retirait pour mieux revenir en elle, plus vite, plus fort. Bientôt, une sorte de bataille s'engagea et elle dut s'agripper à lui pour ne pas perdre l'équilibre dans cette chevauchée frénétique. Il la pénétrait complètement et chaque coup de reins envoyait des ondes de plaisir dans son clitoris, au cœur de son ventre, dans ses tétons durcis. Sa fureur l'excitait au plus haut point, sa façon de conduire chaque pénétration le plus loin possible.

— Lela, dit-il dans un souffle en l'embrassant sur la bouche, dans le cou, en pressant ses seins au rythme de ses assauts. Tu es tellement… merveilleusement… étroite.

Galvanisée, elle contractait ses muscles autour de son sexe chaque fois qu'il se retirait.

Du coup, il se déchaîna encore plus, si bien qu'elle faillit tomber du lit. Il s'arrêta en la retenant. Chercha son souffle.

— Mon Dieu, dit-il comme éperdu, en glissant une main entre leurs corps vers son clitoris.

— Non, laisse-moi faire ça. Je veux que tu me tiennes très fort.

Il l'enveloppa aussitôt dans ses bras et la fit rouler sur le lit. Elle sentit son cœur cogner contre sa poitrine à elle. Le mouvement de ses hanches reprit, s'intensifia. Elle noua les jambes autour de lui pour mieux le recevoir. Il était trempé de sueur. Elle aussi. Son excitation se répandait en elle. Il haletait comme un animal.

L'orgasme de Lela commença à se déployer au plus fort de l'assaut, telle une gerbe d'étincelles en fusion, éclaboussant tout son corps de flammes de plaisir. Et elle s'envola dans une volupté totale. Sous ses doigts, son clitoris était une braise.

— Oh, mon Dieu… je sens tes doigts, je te sens te caresser.

Son sexe se déploya en elle encore et encore. La pression devenait impossible. Elle s'efforça d'oublier son propre plaisir pour assister à l'explosion du sien. Mais il devait faire vite ! Pour l'y aider, elle immisça une main entre ses fesses et pressa doucement ses testicules.

— Oh…

— Oui, murmura-t-elle.

Il se tendit un instant, devint brûlant sous sa main. Et un cri lui échappa en même temps qu'un dernier coup de reins le propulsait dans l'extase. Des contractions le parcoururent tout entier, se mêlant à son souffle égaré. Ses bras la serraient à la rompre, mais jamais elle ne se serait dégagée de cette merveilleuse étreinte. Ses grognements de plaisir la comblaient. Tout en l'embrassant sur la tempe, elle lui caressa les cuisses, mêlant ses doigts aux poils qui les recouvraient. Ses reins s'arrondirent une dernière fois, pour savourer le spasme ultime.

Puis il exhala un long soupir.

— Dieu du ciel, laissa-t-il tomber en se dégageant avant de se laisser aller de tout son poids. Je n'ai jamais fait ça.

Elle n'eut pas le temps de regretter de ne plus sentir son sexe en elle que la tête de Simon était entre ses cuisses. L'orgasme au bout duquel elle n'était pas allée pour assister au sien, refleurit aussitôt au contact de sa langue. Une première explosion l'emporta au septième ciel, comme pour clore l'ascension interrompue. Avec un murmure approbateur, il glissa deux doigts en elle et pressa un point sublime en une succession de petits cercles qui la propulsèrent dans un deuxième orgasme d'une violence incroyable.

Il passa alors sa main trempée sur son propre ventre, comme pour s'imprégner du plaisir qu'il venait de lui donner, et s'allongea près d'elle, satisfait.

— Viens là, dit-il en l'attirant contre lui.

Elle se blottit dans ses bras et posa la tête sur son torse sans rien dire, se contentant d'écouter son cœur battre, de le sentir se détendre contre elle, de respirer son odeur, de s'en pénétrer. Lela avait fait l'amour de nombreuses fois, mais jamais comme ça. Simon était une tornade sexuelle qui l'avait irrémédiablement aspirée sur son chemin. À présent, elle se sentait comme échevelée, aussi bien intérieurement qu'extérieurement. Passant les doigts dans la toison de son torse, elle songea qu'elle avait mille raisons de ne pas faire confiance aux hommes, mais avec celui-là, c'était différent. Elle avait envie de rester à l'abri de ses bras, toute la nuit.

Ça, ce n'était pas prévu, pensa-t-elle.

— Désolé, dit-il en réprimant un bâillement. Je n'arrive pas à garder les yeux ouverts.

Il s'endormit et, pour une fois, cela n'éveilla en elle aucune inquiétude.

Les battements de son cœur le réveillèrent et il eut la surprise de sentir son sexe inhabituellement chaud. Il ouvrit les yeux. Lela était à califourchon sur lui, nue, un rasoir à la main.

— Seigneur Dieu ! s'écria-t-il.

Elle éclata de rire.

— Je suis en train de te raser.

— Sûrement pas !

Sans tenir compte de son avis, elle prit ses testicules dans sa main. Ils étaient recouverts de mousse à raser. Voilà qui expliquait l'impression de chaleur. Malgré le choc de ce réveil brutal, il sentit son sexe durcir à ce contact.

— Mmm... dit-elle en passant le plat de la lame sur ses lèvres. Je vois que je ne suis pas la seule à trouver que c'est une bonne idée.

Il lui saisit le poignet.

— Je crois que tu es folle.

Elle posa sur lui un regard rieur.

— J'ai découvert que tu avais une marque de naissance sur la fesse. Comme un petit fer à cheval. Je l'ai vue quand tu t'es retourné.

— C'est moi qui vais te retourner, tu vas voir.

— Oh, oh! XXL a beaucoup moins d'humour lorsqu'il s'agit de lui.

— XXL?

Elle se lécha les lèvres et libéra sa main sans même qu'il s'en rende compte.

— Juste ici, reprit-elle en approchant la lame de ses poils pubiens. Laisse-moi te raser là.

Dans la lumière qui arrivait de la salle de bains, sa peau se parait d'un éclat de nacre rose. Sa beauté lui coupa le souffle.

— Juste là, murmura-t-elle en approchant dangereusement la lame de ses poils.

Son érection durcit.

— Je t'assure que tu es d'accord, commenta-t-elle.

Elle avait raison, il ne pouvait le nier.

— As-tu déjà fait ça? questionna-t-il.

— Non, mais j'en ai toujours eu envie.

Que répondre à une telle confession? Et que faire?

— Bon sang, grommela-t-il en fermant les yeux. Qu'est-ce qu'un peu de sang, entre amis?

La première fois que la lame passa sur sa peau, il en eut des fourmis dans les pieds. La seconde fois, il gémit. Jamais il n'aurait imaginé qu'une pratique aussi risquée pouvait être à ce point érotique. Elle tirait la peau d'une main placée sur son sexe tendu.

— Ne bouge pas, chuchota-t-elle. Je ne veux pas te couper.

Son visage fut bientôt si près de son entrejambe qu'il perçut son souffle. Elle continua lentement, minutieusement, et il était totalement à sa merci. Il comprit assez vite que cela excitait la jeune femme encore plus que lui.

— Voilà, dit-elle quand elle eut fini, refermant le rasoir.

Elle posa ses lèvres là où la lame venait de glisser en murmurant :

— Doux comme de la soie.

Il fut sur elle avant qu'elle ait eu le temps de le rincer, en elle sans lui laisser le temps de respirer, au-dessus d'elle sans qu'elle ait pu dire un mot. De toute façon, il n'y avait pas de mot pour décrire ce qui se passait entre eux. Tremblante dans ses bras, elle ferma les yeux.

— Regarde, Lela. Regarde ce que je te fais.

Elle leva un peu la tête de l'oreiller pour voir son sexe immense se retirer d'elle par instants, brillant de l'élixir de leur désir. Une fois au bord, il entrait de nouveau dans la douce caverne.

Lorsqu'elle passa involontairement la langue sur ses lèvres, son ardeur se décupla. Incapable de résister, il se baissa pour s'emparer de sa bouche, y enfouir sa langue tout en s'arc-boutant pour plonger son sexe jusqu'au cœur de son ventre. Elle avait un goût de pomme. De passion. Il accéléra le rythme jusqu'à la limite de la brutalité. Il ne pouvait s'en empêcher, mais elle l'accueillait en elle avec une sorte de reconnaissance grisante. Il se sentait insatiable. Invincible. Et quand elle commença à jouir, les spasmes de son plaisir le propulsèrent dans l'extase. Ce fut tellement intense qu'il crut perdre pied. De longues vagues sublimes le submergeaient. Il ne voyait plus clair. Ne pouvait plus respirer. Il se sentait perdu et sauvé en même temps.

Le ravissement fut tel qu'il poussa un cri animal.

Oh, mon Dieu... songea-t-il en reprenant vaguement ses esprits. Je n'avais pas prévu ça.

9

Des pneus de voiture crissèrent dans la nuit. Lela se réveilla en sursaut. Elle aperçut la lueur des phares à travers la vitre, qui semblait lui dire : « Regarde, regarde ce que tu es en train de faire. » Et elle regarda. Sa joue était posée contre le torse de Simon, son bras sur son ventre. Là où elle l'avait rasé, la peau était aussi douce que celle d'une femme. Tout à coup, elle s'aperçut d'une chaleur et d'une moiteur révélatrices dans son bas-ventre. Comme si elle avait rêvé de lui. L'une de ses jambes était repliée sur celle de son amant et son entrejambe pressé contre sa cuisse. Elle sentait son pénis au creux de son bras replié. Il était frais… et chaud en même temps.

Il était réveillé, lui aussi. Elle le comprit quand son bras se raffermit de manière protectrice autour d'elle.

Elle aurait dû se dégager. Laisser un homme dormir avec elle après l'amour risquait de lui faire croire qu'elle lui appartenait. Et Lela n'appartenait à personne. Elle n'était sous le pouvoir de personne.

Elle s'assit. Il la contempla tranquillement. Attentivement. Cet étranger qui était venu en elle. Qui l'avait laissée lui raser le sexe.

Il tendit la main et lui effleura un sein.

— Tu vas bien ?

La caresse exquise la fit frissonner de désir. Dis-lui de partir, allez !

— Nous n'avons pas pris de dessert.

Il sourit.

— Tu as faim ?

Avec un haussement d'épaules, il se redressa et lui tendit la main.

— D'accord. Allons prendre le dessert.

La lueur d'un lampadaire de la rue filtrait à travers les immenses vitres. La ligne de ses épaules puissantes se découpa dans cette lumière douce, celle de son corps élancé. Malgré elle, le regard de Lela descendit. Son sexe était dans l'ombre, entre ses jambes, mais lourd de promesses. Et chargé de danger. Pourtant, il l'attirait terriblement. Elle avait envie de lui. Envie de le ramener vers le lit pour le garder près d'elle jusqu'au matin.

— Allons manger, jeta-t-elle en mettant sa main dans la sienne.

Simon savait qu'elle était sur le point de lui demander de partir. Il le savait parce que, à sa place, il en aurait fait autant. Ses maîtresses ne passaient jamais la nuit avec lui. D'ailleurs, il ne les ramenait jamais chez lui.

Il faut juste que je franchisse cet obstacle, se dit-il. Si elle me laisse rester jusqu'à demain, ça ira.

Une fois dans la cuisine, elle alluma la lumière de la hotte au-dessus de la cuisinière. Il put contempler son corps nu, ses seins pommelés, son ventre plat, ses jambes fuselées. Un frisson le parcourut et son sexe se mit à durcir sans qu'il puisse l'en empêcher. Tout à coup, il se sentit vulnérable dans sa nudité, à la fois heureux et dépité. Lela se comportait-elle ainsi avec tous ses amants ?

Pour éviter de s'attarder sur cette question, il débarrassa la table sur laquelle étaient restées leurs assiettes. Mais il se souvint soudain de la façon dont il l'avait soulevée dans ses bras pour l'emmener au lit, et son sexe durcit encore.

— J'ai de la glace, lança-t-elle. Praline ou chocolat ?

— Un peu des deux ?

Elle sourit en prenant les assiettes qu'il lui apporta. Lorsqu'ils s'installèrent pour déguster leur dessert, il s'aperçut qu'elle s'était composé le même mélange que lui et y vit un bon présage. Ils mangèrent en silence, au bruit de leurs cuillères contre la porcelaine.

Mais Simon s'interrompit soudain.

— Lela.

Elle leva les yeux et l'espace d'un instant, son expression fut celle d'une enfant, dans toute sa naïveté.

— Oui, Simon ?

— Je ne sais pas très bien comment te dire ça, mais... quand tu as évoqué ta famille, j'ai pensé que tu devais savoir que... je ne suis pas le fils biologique des Graves. J'ai été adopté. Avant, j'étais un orphelin.

Il crut la voir pâlir un peu. Elle baissa les yeux et ses cils formèrent deux ombres incurvées sur ses joues.

— Andrew savait, murmura-t-elle.

— Oui, il a joué les entremetteurs. Je pense qu'il l'a fait parce que nous avons un passé semblable.

Lela secoua la tête.

— Je n'ai pas été adoptée.

Mais elle ne nia pas être orpheline. Le cœur de Simon manqua un battement. Il pensa à ces dix-huit mois où sa vie s'était arrêtée et où il lui avait semblé que plus rien ne serait jamais comme avant. Il devinait la même souffrance en elle, ce sentiment de perte, d'impuissance, de fureur. Peut-être n'avait-il jamais cessé de les éprouver. Il regarda ses mains restées autour du bol, ces mains trop grandes, trop fortes. Il n'avait pas la bonté de son père adoptif, mais il partageait avec lui sa volonté d'aider les autres. Il attendit que Lela lève les yeux.

— Quel âge avais-tu ?

— Huit ans.

Elle se leva aussitôt et emporta leurs bols pour les mettre dans l'évier alors qu'ils n'avaient pas fini. Ses gestes étaient secs, comme si ses membres s'étaient soudain raidis.

Simon s'efforça de tenir sa langue. Il ne voulait pas la forcer à en dire plus. Au bout de quelques secondes, elle ferma le robinet, essuya ses mains sur une serviette et se mit à parler sans le regarder, d'une voix calme et basse.

— Mon père a été tué par le propriétaire d'un magasin du quartier qu'il essayait de cambrioler. Après sa mort, ma mère a sombré. Elle est devenue incapable de s'occuper d'elle, et d'un enfant encore moins. Elle disparaissait parfois pendant des semaines et me laissait seule alors qu'elle se prostituait quelque part et essayait de trouver de la drogue. Finalement, un voisin a alerté les services sociaux et j'ai échoué dans un foyer. Je n'ai jamais revu ma mère. Ils l'ont cherchée ensuite, mais sans résultat. Je suppose qu'elle est morte, depuis longtemps sans doute.

— Je suis désolé, dit Simon, le visage grave.

— J'ai eu de la chance dans mon malheur. La plupart des gosses des foyers feraient n'importe quoi pour retrouver leur famille, même quand ils ont été gravement maltraités. Moi, je n'ai jamais perdu mon temps avec ce genre de fantasme. J'avais appris à ne compter que sur moi-même depuis des années, et je n'allais pas changer sous prétexte que j'étais dans un foyer d'accueil. Je ne voulais pas finir comme ma mère.

« Tu ne peux pas savoir combien de gosses me détestaient parce que j'avais choisi de couper les ponts avec mon passé. Parce que je savais que ce serait nocif pour moi. Je remettais en question leur grand rêve. Peu après, j'ai appris à garder la vérité pour moi, à me faire des amis. Je me suis reconstruite et tout va bien, merci. Fin de l'histoire.

Non, l'histoire était loin d'être terminée, il le savait. Il se leva, remonta les cheveux de Lela et posa les lèvres sur sa nuque.

— Non seulement tu t'es reconstruite, mais tu es forte.

Contredisant ces paroles, elle s'accrocha à lui comme si elle n'était pas forte du tout, au contraire.

Il était heureux de la tenir ainsi, de la sentir chaude et douce contre lui. Elle lui faisait prendre conscience de sa virilité, de sa taille, de sa puissance de mâle.

Peu à peu, leur étreinte changea. Lela bougea, referma les cuisses autour de ses reins en se tenant à son cou.

— Prends-moi, dit-elle d'une voix rauque. Ici.

C'était une façon de fuir, mais son corps s'en moquait. Pour lui, les mots, les discours n'avaient pas de sens. Il ne songeait qu'à satisfaire ses désirs. Alors il la souleva pour l'asseoir sur le comptoir et l'embrassa fiévreusement tout en titillant le bout de ses seins. Il la serra ensuite contre lui, contaminé par le feu pressant qui la dévorait. Elle le caressait avec frénésie, glissant les mains sur ses épaules, son dos, ses hanches. Lorsqu'elle les referma sur ses fesses, il crut que son crâne allait exploser. Puis il sentit ses chevilles autour de sa taille et il se déchaîna.

— Maintenant, ordonna-t-elle en le guidant.

Sa main sur son sexe était divine. Il entra en elle sans pouvoir retenir un long soupir. Elle s'offrait sans résistance. Mouillée. Brûlante. Étroite et si douce. Il eut l'impression d'être chez lui. En sécurité. Arrivé à bon port.

Il l'enveloppa dans ses bras et la pressa encore plus fort, si toutefois c'était possible.

— Je ne me lasserai pas de toi, dit-il.

Et il avait bien peur que ce ne soit vrai.

La perspective de le revoir l'avait rendue un peu nerveuse, mais durant la semaine qui suivit, Simon se révéla un bon professeur. Et il n'était pas avare de son temps. Dès que la jeune femme était disponible, il organisait son emploi du temps pour se consacrer à elle. Ils visitèrent les plus grands magasins de la ville : Saks, Bergford's, Lord & Taylor.

— Ouvre les yeux, avait-il dit. Qui vient acheter ici ? Que touchent-ils ? Que choisissent-ils ? Quelles employées vendent le plus ? Que font-elles de plus que les autres, ou de différent ?

Il la félicitait lorsqu'elle répondait correctement à ses questions, ou l'amenait à découvrir ce qui lui avait échappé.

— Quand tu es sûre de ce que tu avances, qu'il ne s'agit pas seulement de théorie, c'est plus facile de convaincre les autres.

Ils parcoururent les rues commerçantes de la ville et Simon continuait de l'initier au métier, lui faisant part des leçons qu'il avait apprises depuis qu'il était chez Graves. Parfois, il semblait timide, comme si personne ne lui avait jamais demandé de partager ses connaissances, jusqu'ici. Il se référait toujours à ses propres mentors. Très souvent, il commençait ses phrases par :

— Mon père disait toujours...

Visiblement, Howard Graves était plus qu'un père pour Simon. Il était un héros. Un jour où ils passaient devant le Rockefeller Center, il lui raconta leur rencontre :

— J'avais cinq ans et l'orphelinat était l'endroit le plus effrayant que j'aie jamais connu. Ces gamins ! C'était comme s'ils voulaient se venger sur chacun du malheur qui les avait frappés. Mes parents m'avaient aimé, gâté. Je me défendais comme je pouvais, mais il y en avait toujours un plus grand, plus fort que moi. Et puis, un jour, Howard Graves est arrivé, et ce fut comme si Superman entrait dans ma vie. Il était grand. Un mètre quatre-vingt-dix-huit. Les cheveux roux. Un rire comme un tremblement de terre. Aucun des autres parents adoptants n'avait voulu de moi. Je n'étais pas mignon, ni gentil. Mais au premier regard, Howard a dit : « C'est lui que je veux. »

Cette histoire était un vrai conte de fées pour Lela. Elle pressa le bras de Simon.

— Je suis sûre que tu étais très mignon.

— Pas du tout ! affirma-t-il en riant, le dénouement heureux ayant gommé le souvenir de la souffrance. Le personnel du foyer m'avait surnommé « Grincheux ». Ils disaient que j'avais des petits yeux méchants.

— Tu as des yeux magnifiques ! J'adore tes yeux.

Il sourit et l'embrassa sur la joue. Lela s'émut tellement qu'elle en eut la gorge nouée. Ce doit être ça, avoir quelqu'un dans sa vie, songea-t-elle.

Des larmes brouillèrent sa vue et elle s'empressa de les refouler. Si elle n'y prenait garde, elle allait tomber amoureuse.

Simon était à La Nouvelle-Orléans afin de régler un conflit dans l'une de ses boutiques. Il avait proposé à Lela de l'accompagner, mais elle ne pouvait s'absenter de *Meilleurs Amis*. Après des débuts un peu difficiles, elle et Nita s'entendaient mieux. L'une des collaboratrices de Simon lui avait conseillé de garder une certaine distance avec ses collègues, si elle ne voulait pas compromettre la transition entre l'amitié et les relations de patronne à employées. Lela pensait avoir trouvé un juste milieu. Nita semblait l'apprécier, mais aussi la respecter. Elle s'inspirait même de sa façon de recevoir les clients. Un jour, Fran l'avait charriée à ce sujet et Nita lui avait répondu de s'occuper de ses affaires.

— Cette fille ira loin, et moi aussi je veux aller loin, l'avait-elle entendue ajouter.

Quant à cette dinde de Thérèse, elle ne se rendait pas compte de la bonne influence qu'exerçait Lela. Elle en profitait simplement pour s'absenter davantage. Si elle n'avait été aussi sotte, Lela aurait eu de la peine pour elle. La vue de son ventre de plus en plus rond suscitait parfois une pointe de culpabilité en elle, mais elle se disait que les femmes comme Thérèse, malgré leurs psys et leur inaptitude à se débrouiller, retombaient toujours sur leurs pieds. Quand elle serait licenciée, elle colporterait simplement son incompétence ailleurs.

Et puis, Lela promettait d'être une bonne patronne. Elle était déjà parvenue à réorganiser le magasin et les ventes avaient remonté. Thérèse lui avait montré les comptes.

Cette petite réussite faisait que des pensées agréables occupaient son esprit.

Elle s'était soigneusement organisée durant l'absence de Simon. Ils avaient passé toutes les nuits ensemble, depuis la première, chez elle. Son corps, en tout cas, s'était habitué à lui. Pour se distraire, elle avait fait des provisions de glaces, de magazines et loué trois films d'action au vidéoclub en bas de la rue. Par ailleurs, elle avait acheté de quoi se faire une pédicure, une manucure, un masque facial au concombre et au kiwi. Car elle n'avait pas l'intention de passer le week-end à se languir de Simon.

Malgré ses efforts, elle s'éveilla le dimanche matin aux aurores, bien obligée d'admettre son échec. Installée dans son fauteuil bleu roi, elle essaya de s'intéresser au dernier *Elle,* pour vite s'apercevoir que cela faisait dix fois qu'elle relisait un paragraphe pourtant très instructif sur les nouveaux créateurs de bijoux.

Physiquement, Simon lui manquait cruellement. Elle aurait voulu qu'il soit là, sur son lit. La tête sur ses cuisses, elle aurait joué avec son sexe tendu sous son pantalon, le mordillant jusqu'à ce que la fermeture de sa braguette menace de rompre. Jusqu'à ce qu'ils déchirent leurs vêtements dans leur impatience de se fondre l'un dans l'autre. Jusqu'à ce que leurs corps ardents et moites se retrouvent, s'entremêlent, tremblent de plaisir.

Lela se couvrit le visage.

Ses réactions ne présageaient rien de bon.

Prise d'une impulsion, elle se dirigea vers le téléphone. Béa et elle ne s'étaient pas séparées en très bons termes, mais une petite conversation amicale remettrait peut-être les choses en place.

Béa répondit à la septième sonnerie, haletante.

— Oui ?

— Je tombe à un mauvais moment ?

— Non, non. J'étais en haut, dans mon atelier. J'ai commencé un nouveau tableau.

Elle rit avec une joie et une légèreté que Lela ne lui connaissait pas.

— En fait, c'est la troisième fois que je le recommence, et chaque fois il devient plus grand. Mais là, j'ai atteint la limite, sinon il ne rentrera plus dans mon atelier. Je suis obsédée. Tu n'imagines pas la quantité de peinture que j'ai gâchée. Heureusement que j'ai l'héritage de ma mère, autrement je serais ruinée !

Lela se garda de prendre la défense d'Ève. Béa n'appréciait jamais.

— Je suis contente de savoir que ça va, se contenta-t-elle de dire.

— C'est fantastique ! Lela, ajouta-t-elle plus bas comme s'il s'agissait d'un secret, je crois que ce tableau va être… spécial. Je ne sais pas ce que les critiques en penseront, mais c'est le meilleur que j'aie peint. Le meilleur.

Lela s'apprêtait à l'encourager lorsque Béa la devança :

— Oh, j'allais oublier ! Il m'est arrivé un truc incroyable. Un homme m'a appelée des États-Unis et m'a demandé un aperçu de mon travail. Il dit qu'il a vu l'un de mes tableaux chez *Meilleurs Amis*. C'est celui que je t'ai donné, n'est-ce pas ?

— Oui. J'espère que tu ne m'en veux pas. La boutique était sinistre et j'ai essayé de l'arranger un peu. La directrice était d'accord.

— Très bien, très bien… Alors, ton travail te plaît ?

— Oui, tout se passe bien.

Tout à coup, Lela hésita à confier son succès. Peut-être le surestimait-elle ? Elle se tourna dans son fauteuil, coinça le téléphone entre son oreille et son épaule et prit une cheville dans sa main. Le vernis rouge sur ses orteils était une réussite. Parle-lui de Simon, se dit-elle en ignorant le bond de son cœur dans sa poitrine. C'est pour cela que tu l'as appelée…

— Il est arrivé autre chose au magasin. J'ai rencontré un homme.

— Laisse-moi deviner. Il est grand, brun, séduisant et riche.

Béa n'avait pas voulu la blesser, mais Lela sentit les larmes lui brûler les yeux. Elle se mordit la lèvre en songeant que Simon l'avait métamorphosée : elle se retrouvait d'une sensibilité à fleur de peau. Béa avait toutes les raisons de penser que cet homme était comme tous ceux qui l'avaient précédé. Non ?

— En fait, dit-elle en prenant un ton faussement léger, il est tout cela et plus. C'est le patron d'Andrew, tu te souviens ? L'homme qu'il voulait que je rencontre. Il a joué l'entremetteur et ça a marché. Il m'aide à apprendre le métier.

— Et toi ? Qu'est-ce que tu lui apprends ?

Cette fois, la remarque fit rire Lela.

— Nous l'avons fait dans les toilettes de chez Bergdorf's.

— Mon Dieu, je ne veux pas le savoir. Les dames ne doivent pas se raconter leurs secrets d'alcôve.

— Il me plaît, Béa. C'est un homme bien, et sexy.

— Je m'en doute. Tu as toujours eu bon goût. Andrew était adorable. Un simple flirt, mais adorable.

— Oui, se borna à répondre Lela.

Pourquoi ne pouvait-elle lui dire qu'elle était tombée amoureuse de Simon ? Amoureuse, pour la première fois de sa vie ?

Oh, elle l'avait déjà été, ou avait cru l'être. Des passades dont le souvenir s'était émoussé avec le temps, les circonstances, ou une petite trahison. Son attachement à Béa était le plus durable qu'elle ait connu. Elle n'avait jamais vraiment aimé personne. L'amour véritable lui avait toujours fait peur.

Simon ne semblait pas souffrir de la même maladie. Il lui manifestait du désir, de l'affection et même du respect. Il lui avait montré que sous une apparence un peu rude, il recelait des trésors de tendresse. Mais il ne paraissait pas avoir peur. Ou être particulièrement heureux. Il avait seulement l'air content d'être avec elle et de partager son lit. Rien à voir avec ce maelström d'émotions qui l'avait submergée malgré ses efforts pour garder la tête hors de l'eau.

Le plus effrayant était qu'elle avait envie de se laisser engloutir…

De tels émois étaient trop mélodramatiques pour être partagés. Béa ne la croirait pas, même si elle prétendrait le contraire. Et cela, Lela ne le supporterait pas.

— Comment va Philip ? demanda-t-elle alors, écoutant son amie lui expliquer qu'elle n'était pas complètement folle de lui…

Lela ne quitta pas les pensées de Simon de tout le week-end. La Nouvelle-Orléans était une ville aussi animée et pleine de charme que le New Jersey. Il accomplit son travail, mais son cœur se languissait d'elle. Son odeur lui manquait, la façon dont elle se blottissait contre lui dans le sommeil, dont elle essayait de discipliner ses cheveux rebelles, le matin, du bout des doigts. Elle était adorable au réveil, toujours disposée à l'accueillir en elle. Ses muscles étaient alors détendus et quand il la pénétrait, il se sentait dans une étreinte totale. Et il n'avait envie d'être nulle part ailleurs.

Il commençait à penser qu'il aimerait bien se réveiller de cette façon chaque matin.

Le vol de retour vers La Guardia lui parut interminable. Sa tâche achevée, il pourrait se consacrer totalement à Lela et aux rêves qu'elle lui inspirait. C'était peut-être son imagination, mais son sexe semblait le démanger depuis la nuit où elle l'avait rasé. Elle était un peu folle, et elle le rendait fou aussi. Il avait envie de lui faire l'amour dans la fontaine de Central Park, de l'enfermer dans une cage et de la forcer à lui sucer le sexe à travers les barreaux, de recouvrir ses seins de sperme, de la prendre par-derrière pendant qu'elle conduirait une Harley. Oui, elle lui inspirait des fantasmes étranges, terriblement puissants, qui l'excitaient.

Il était tellement impatient d'explorer plus avant la hardiesse sexuelle de Lela que c'en était presque douloureux.

Il était deux heures du matin quand il sonna à l'interphone de son loft. Il ignorait si elle le laisserait monter ou l'enverrait promener, mais il ne pouvait rentrer chez lui sans avoir essayé.

Avec un peu de chance, il lui avait peut-être manqué…

Une voix ensommeillée répondit enfin.

— Simon ?

— Oui. Je m'en vais s'il est trop tard, mais j'ai vraiment envie de te voir.

Un craquement se fit entendre dans l'appareil. Elle réfléchissait. S'il te plaît, laisse-moi monter, la supplia-t-il intérieurement.

— D'accord, dit-elle. Je te retrouve à l'ascenseur.

Il sentit son sexe se tendre si vite qu'il en eut le vertige. Il parvint toutefois à ouvrir la porte, ne pensant qu'à une seule chose : elle l'attendait. Et la perspective de la retrouver, de la prendre dans ses bras, de lui faire l'amour le rendait fou. Bon sang, il voulait qu'elle crie, qu'elle pleure contre lui, qu'elle...

Lela avait des projets légèrement différents.

Elle l'attendait dans le hall dans un long négligé de soie rouge, fendu sur le côté. Le sourire aux lèvres, Simon essaya d'ouvrir la grille, mais elle était... bloquée.

— Je n'arrive pas à ouvrir, dit-il.

Elle s'approcha en se léchant les lèvres.

— Je sais.

C'est alors qu'il remarqua les menottes dans sa main : en velours noir, avec des liens en satin. Son cœur se mit à battre la chamade, ses paumes devinrent moites, ses jambes lourdes. Quand il parla, sa voix parut venir de très loin.

— Que comptes-tu faire de ça, Lela ?

Elle les balança d'avant en arrière.

— Un petit jeu. Si tu veux jouer, tu dois attraper les barreaux des deux mains.

Son fantasme de la cage lui revint à l'esprit. C'était lui qui s'y retrouvait, en fait, mais ce n'était pas moins érotique. Il jeta un coup d'œil vers le palier faiblement éclairé, sur lequel donnaient deux autres appartements. Un voisin pouvait sortir d'un instant à l'autre. C'était improbable, toutefois, et il était bien trop excité pour s'en soucier.

Quelques secondes plus tard, elle lui avait attaché les mains aux barreaux. Elle pressa alors le visage dans l'ouverture et réclama sa bouche. Le baiser qu'elle lui donna fut agressif. Sa langue était ferme, exigeante. Ivre de désir, il en perdit le souffle, mais elle recula sans qu'il puisse l'en empêcher, bien sûr.

Elle l'examina lentement de haut en bas, s'attardant sur le renflement visible de son pantalon.

— Pas mal, approuva-t-elle. Pas mal du tout. Mais j'aimerais en voir davantage.

— Je ne peux pas t'en montrer davantage. J'ai les poignets liés.

Elle passa les mains entre les barreaux, ouvrit sa ceinture et, saisissant la boucle, tira d'un coup sec. Zzzz. Elle jeta la ceinture derrière elle, à travers la porte ouverte de son appartement. Le bruit sec de sa chute sur le sol le fit frémir.

— Tiens, XXL est nerveux. Ce n'est pas grave, je crois pouvoir le distraire de ses craintes.

Cette fois, ce fut son sexe qu'elle saisit à travers le pantalon. Elle le pinça, le pressa, le caressa avec art. Elle savait exactement ce qu'il aimait. Oh, oui ! Il adorait la fermeté de ses doigts. Il se mit à rouler des hanches contre ses mains. Dieu que c'était bon !

— Tu veux que je l'embrasse ?

Il ferma les yeux.

— Je veux que tu le suces. Que tu ouvres la fermeture Éclair et que tu le prennes dans ta bouche.

S'il l'avait choquée, elle ne le montra pas. Elle lui lécha la joue tout en ouvrant lentement sa braguette, et lorsque enfin son sexe dur à l'extrême se retrouva dans sa main, il poussa un long soupir de soulagement. Il rouvrit les yeux et remarqua que ses ongles étaient aussi rouges que sa robe.

— Tes caresses m'ont manqué, Lela.

Sa main se déplaçait de bas en haut. Elle le regarda droit dans les yeux. Son expression était douce.

— Tu m'as manqué aussi, dit-elle en se mordant la lèvre.

Puis elle s'agenouilla et dès l'instant où son sexe fut dans sa bouche, Simon s'envola vers le paradis. Il se colla contre les barreaux pour qu'elle puisse le prendre le plus loin possible. Comme le reste de sa personne, sa bouche était petite mais en même temps qu'elle enserrait le bout de son sexe, sa main allait et venait à la base. Et ce qu'elle lui faisait avec la langue était tellement bon qu'il était déjà au bord de l'extase.

Elle avait le chic pour trouver ses points sensibles, s'y attarder, y passer les lèvres.

— Oh, oui… oui… gémit-il.

Mais il était trop près de l'orgasme et ce n'était pas ainsi qu'il avait imaginé leurs retrouvailles.

— Lela… laisse-moi sortir. Je veux te faire l'amour. Je veux qu'on jouisse ensemble.

— Tu en as très, très envie ?

— Ne plaisante pas. Pas maintenant. Tu m'as manqué.

Ses yeux étaient comme des étoiles dans un ciel qui aurait été à ses pieds.

— Tu voudras bien que je t'attache au lit ?

— Si tu y tiens.

— Je n'y tiens pas. Je le veux.

— D'accord. Mais laisse-moi sortir. Je veux te prendre dans mes bras pour te dire bonsoir comme il faut.

Dès qu'il fut libre, il la serra contre lui comme s'il ne l'avait pas vue depuis des années, si fort qu'elle gémit. Il la souleva ensuite dans ses bras, referma la porte d'un coup de pied et écrasa sa bouche contre la sienne avec un petit cri, la dévorant littéralement. Enfin, il la retrouvait !

— Mmm… fit-elle dans un soupir d'aise. Tu es en train de me distraire de ce que j'avais prévu pour toi.

— Viens, tu pourras me torturer.

Lorsqu'ils furent sur l'estrade du lit, elle acheva de le déshabiller. Il voulut l'aider mais elle l'en empêcha et continua tout en caressant sa peau nue. Jamais il n'avait été aussi conscient de son corps, de ses muscles, de la vie qui palpitait en lui. Il aurait voulu être plus beau pour elle, plus sculptural. Pourtant, elle ne semblait pas déçue. Au contraire. Quand elle prit son visage entre ses mains et posa ses lèvres juste sous les siennes, il eut l'impression que ce baiser dissipait tout ce qui pouvait être laid en lui.

— Simon, prononça-t-elle simplement avant de l'attirer vers le lit.

Elle ne lui attacha qu'un seul poignet. À son regard interrogatif, elle répondit :

— Je te connais. Tu ne veux pas te livrer totalement. Cela ne t'aurait pas plu d'être entravé.

— Peut-être que si, dit-il d'une voix rauque.

Et il le pensait.

Elle le chevaucha et remonta sa robe.

— Nous verrons plus tard si nous vérifions cette théorie. Ce soir, j'ai envie que mon prisonnier me caresse.

Elle s'assit sur lui et il sentit son sexe mouillé sur sa peau. Il glissa sa main libre entre ses jambes.

— Tu veux que je te caresse là ?

— Oui…

Elle se cambra et il n'eut pas besoin de lui demander si elle souhaitait de la rapidité ou de la lenteur. Ses ondulations lascives le guidaient. Sa robe luisait à la lueur d'une lampe Tiffany ébréchée. Ses cheveux noirs brillaient d'un autre éclat. Ses seins se balançaient un peu. Il remonta sa main pour les toucher, faisant rouler son pouce sur leurs pointes, les mouillant avec le baume de son sexe embrasé.

— Tu es si belle… Je n'ai jamais désiré une femme comme je te désire.

Elle lui sourit et se pencha pour l'embrasser. Quand elle se redressa, il crut qu'elle allait parler mais elle retint son souffle, se lécha les lèvres et avança une main vers son pénis. S'en empara. Seigneur ! Comme il aimait qu'elle le touche ! C'était de l'huile sur un feu ardent. Elle fit rouler sa peau et pressa le gland. Sans le lâcher, elle retomba contre lui et respira dans son cou.

C'était son moment préféré, celui où il la pénétrait jusqu'à ce qu'il ne puisse aller plus loin. Mais lorsqu'il fut tout entier en elle, elle ne bougea plus. La torture devint vite insupportable. Oubliant le lien, il tira sur sa main attachée. Lela frissonna.

— J'ai le droit de bouger ?

— Seulement ta main libre. Le reste m'appartient.

Il lui saisit les cheveux et souleva son visage. Il voulait lui obéir mais ne supportait pas cette immobilité, tellement il avait envie d'elle. Envie de jouir en elle. De la faire jouir.

— Alors, c'est toi qui bouges. S'il te plaît.

Sa docilité s'avéra presque pire. Son va-et-vient était comme un ondoiement de soie dans la brise. Lentement, elle ondulait. Inexorablement, il s'arcboutait. Quand il commença à gémir, elle s'empara de sa bouche goulûment et il mit dans ce baiser toute sa frustration. C'était une torture de ne pas bouger. De lui obéir. Il glissa une main entre ses cuisses, mais elle n'alla pas plus vite.

— Doucement, murmura-t-elle en guidant ses doigts vers son clitoris. Ne me presse pas.

— Je vais mourir.

— Pas encore... Seulement quand je le dirai.

Mais elle ne le dit pas. Leurs peaux étaient trempées de sueur. Elle continuait d'ondoyer sans hâte, dans un feu liquide mais contenu. Un vrai supplice. Le paradis. Il ne savait plus.

— Viens, supplia-t-il, mais elle secoua la tête.

Elle se contenta de gémir, ce qui aggrava la brûlure qui le dévorait. Il lui pinça les tétons jusqu'à ce qu'ils deviennent comme de petites pierres. Elle résistait toujours, mais enleva sa robe pour sentir ses mains sur sa peau nue. Et toujours ce balancement d'une lenteur insupportable.

Elle renversa soudain la tête en arrière.

— Bientôt... dit-elle dans un souffle. C'est tellement bon... J'aime... si tu savais... J'adore t'avoir en moi. Tu es tellement énorme que c'est comme si j'allais exploser.

Il s'agrippa au montant du lit en grinçant des dents. Tenta de se calmer. Mais la tension était devenue insupportable. Irrésistible.

— Je ne peux plus… jeta-t-il en glissant une main sur sa nuque et en l'attirant contre lui.

Il fallait qu'elle comprenne. Elle ferma les yeux et insinua les doigts là où leurs sexes ne formaient plus qu'un.

Savoir qu'elle allait se toucher rompit la dernière digue. Une vague le souleva et son plaisir explosa. Confusément, il la sentit trembler à son tour, mais son orgasme l'aveugla tant il était violent. Des spasmes profonds le secouèrent, partant de son sexe pour se déployer dans tout son corps, l'enflammer, l'illuminer. Une onde explosait, puis une autre suivait. Et sa semence déferla par à-coups comme un torrent de lave.

— Simon… Simon… Simon… dit-elle.

Il reprit pied avec la réalité tel un plongeur émergeant de profondeurs vertigineuses. Elle était contre lui, abandonnée. Comme c'était doux de sentir le poids de son corps contre le sien. Elle frottait ses joues dans ses poils. Il était toujours en elle et ne voulait pas rompre le lien. Heureusement, il lui restait la force de remonter sa main le long de son dos et de la serrer contre lui. Elle eut un petit rire et poussa un long soupir.

Je t'aime, songea-t-il, et une sensation de froid le fit soudain frissonner.

Quand il sortit de la douche et la rejoignit, elle était assise sur le lit, un vieil ordinateur portable ouvert sur ses genoux, un modèle dépassé qu'il lui avait proposé de changer mais elle avait refusé. Il se sécha les cheveux avec la serviette, se disant que ce n'était pas ainsi qu'il espérait la retrouver.

— Je suis bien réveillée, mais toi tu peux dormir.

— Je ne suis pas fatigué.

Il n'était pas en érection, mais un léger encouragement aurait suffi.

— Alors, tu peux peut-être m'aider.

Il la soupçonna de lui réserver un autre de ses petits jeux, mais lorsqu'il s'assit près d'elle pour regarder l'écran, il se raidit.

— Lela, c'est le budget de l'année en cours de *Meilleurs Amis*.

— Tout juste, et j'essaie de voir quelle place tient le magasin de New York dans tout ça.

— Mais il s'agit de données secrètes qui ne devraient pas être entre tes mains.

— Dis ça à Thérèse. C'est elle qui m'a transmis ses codes.

Il se gratta le crâne. Pour la première fois, il se rendait compte qu'il n'avait pas mesuré à quel point lui servir de mentor créait un problème. Elle s'efforçait d'aider l'entreprise qu'il tentait d'acquérir. Et voilà qu'elle lui mettait sous le nez des informations confidentielles. S'il lui faisait part de ses projets, elle refuserait certainement de le revoir. S'il se taisait, il ferait un sérieux accroc à son éthique personnelle.

Bon, il n'était pas non plus obligé d'utiliser ce qu'il avait appris. Il pouvait le garder pour lui. Ses financiers n'étaient pas censés le savoir, et ils pouvaient parfaitement procéder à l'achat sans avoir connaissance de ce budget.

Parfait, se dit-il en ignorant la petite voix qui lui soufflait que le silence aussi était une compromission.

Mais il ne pouvait prendre le risque de perdre Lela. Pas maintenant. Le lien qui les unissait était encore trop fragile.

La vérité devrait attendre.

10

Simon rentra chez lui pour se changer. Comme cela lui arrivait de plus en plus souvent, un sentiment maussade le saisit quand il ouvrit la porte. La femme de chambre était passée. La poussière était faite, tout était rangé et une odeur de produit à récurer flottait. Il aurait pu s'agir d'une chambre d'hôtel.

Il détestait ce lieu. Jusqu'ici, il n'en avait pas eu conscience. Il s'arrêta au milieu du salon et considéra le mobilier massif, très masculin. Le décorateur avait choisi ces meubles en affirmant qu'ils reflétaient sa personnalité. Apparemment, sa personnalité était plutôt sombre. Comme la moquette et le canapé. Les murs étaient dorés mais d'un doré froid, comme le métal.

Avec un soupir, il jeta ses clés sur une table et se passa une main dans les cheveux. Si Lela venait ici, elle se sauverait en courant. Il commençait tout juste à envisager de lui demander de vivre avec lui. Mais ici, elle n'accepterait jamais. Puis il repensa à la tête qu'elle avait faite lorsqu'il avait oublié sa brosse à dents dans sa salle de bains, et il se dit qu'elle n'accepterait probablement pas de vivre avec lui où que ce soit.

Ne pleurniche pas sur ton sort, se reprit-il en se dirigeant résolument vers sa penderie. Ce n'était pas un hasard si ses rivaux l'appelaient « Graves de glace ». Il savait être patient, réduire l'opposition à néant. Si seulement il n'avait pas l'impression d'avoir perdu une part vitale de lui-même, dès que Lela n'était plus à ses côtés...

Il grimaça devant une cravate du soir marron foncé. La vie avait été beaucoup plus facile avec Diane.

Le téléphone sonna. *Lela,* songea-t-il, son cœur accélérant la cadence comme s'il avait bu un litre de café.

Ce n'était pas Lela, mais sa mère.

— Ah, tu es là, chéri, dit-elle de sa voix chaude. Ta secrétaire est tellement déroutante. On dirait qu'elle a peur de moi.

Simon s'assit sur l'accoudoir du canapé.

— C'est de moi qu'elle a peur, maman.

Il appelait Howard papa, et Tess maman, mais dans sa tête il utilisait leurs prénoms. Sa façon à lui de se rappeler que ces parents-là l'avaient choisi. Mais Tess était la seule personne au monde à l'appeler « chéri ».

— Que se passe-t-il ? Papa va bien ?

— Bien sûr, mon chéri. Il se porte comme un charme. Il ne bute presque plus sur les mots. Je t'appelais parce que l'anniversaire de nos quarante ans de mariage approche. Nous avons décidé de donner une grande fête pour montrer à tout le monde que ton père est en pleine santé.

— Dis-moi la date, pour que je m'organise.

— B... bon, prononça sa mère comme si elle était embarrassée. En fait, j'espérais que tu viendrais avec cette charmante jeune femme que nous avons rencontrée au bal pour l'enfance défavorisée. Oh, Simon, je ne veux pas m'en mêler, mais ton père a peur que tu ne t'amuses pas assez et il l'a trouvée si charmante... Il n'arrête pas de parler d'elle, de sa douceur, de sa beauté.

Simon passa une main sur son front.

— Je ne la vois plus, maman. Elle s'est fiancée.

— Ah… Ce n'était qu'une suggestion. Ton père sera très heureux de te voir, avec ou sans petite amie.

Elle était déçue, c'était clair, et Simon aurait aimé leur faire plaisir, après tout ce qu'ils lui avaient donné. Il détestait leur causer de l'inquiétude.

— Je viendrai peut-être accompagné. Je vois quelqu'un d'autre, annonça-t-il alors.

— Vraiment ? Tant mieux ! Elle est jolie ? Oh, peu importe. Je suis sûre qu'elle l'est, comme toutes tes petites amies.

Simon leva les yeux au ciel. Diane n'était pas une petite amie, mais une maîtresse. Et Lela ? Dans quelle catégorie la plaçait-il ?

— Je ne te promets pas qu'elle viendra, elle a peut-être d'autres projets.

Un bref silence lui répondit. Visiblement, sa mère ne concevait pas que l'on puisse laisser tomber son enfant chéri.

— C'est vrai que les femmes modernes ne bâtissent pas leur vie autour d'un homme, n'est-ce pas ?

— Non, mais je ferai de mon mieux pour la convaincre. Bon, je dois y aller avant que mes employés m'accusent de traîner au lit.

Sa mère lui fit ses adieux et quand il lui dit « je t'aime, maman », il songea qu'il ne prononçait pas ces mots assez souvent.

Lela ne comprenait pas pourquoi Simon était si nerveux à l'idée de cette réception organisée pour une œuvre caritative. Il avait semblé étrangement soulagé lorsqu'elle avait accepté de l'accompagner. De plus, deux jours plus tôt, il avait insisté pour l'aider à choisir ce qu'elle porterait.

— Je trouverai quelque chose chez Graves, avait-il décrété, car aucune de ses robes n'avait paru lui convenir.

— J'avais dit : pas de cadeaux.

— Bon. Quand tu auras obtenu ton poste de directrice, tu me rembourseras.

— Si je dois te rembourser, je veux que le choix me revienne.

— Lela, je n'ai pas le flair d'Andrew mais je sais ce qui convient. Fais-moi confiance.

Son ton persuasif et son humilité avaient eu raison de ses réticences. Elle n'avait pas eu le cœur de refuser. Effectivement, la robe qu'il lui avait offerte, en soie bleu lavande sans manches, simple et élégante, lui allait parfaitement. Puis Simon avait sorti un deuxième cadeau : une guêpière tellement sexy qu'elle avait été conquise sur-le-champ.

Il avait dégluti avec peine quand elle l'avait essayée mais à présent, il semblait lugubre au volant de sa grosse Mercedes. Elle avait plusieurs fois essayé de rompre le silence, sans succès.

L'événement avait lieu à Long Island, dans une propriété située sur la rive nord. Au bout d'une heure de route, ils s'arrêtèrent devant une grande maison avec des colombages à mi-hauteur, entourée d'un jardin paysager. Il s'agissait d'une demeure privée, mais un voiturier vint se charger de garer la Mercedes.

— Bon, dit Simon en lissant sa veste.

Vêtu avec une décontraction inhabituelle, il portait un costume en lin brun sur un tee-shirt noir. Terriblement séduisant, il n'était pas détendu pour autant.

Posant une main au creux de son dos, il la guida vers un jardin treillissé, derrière la maison. Sur une pelouse aussi verte et minutieusement entretenue qu'un terrain de golf, des personnes d'un certain âge pour la plupart et bien habillées bavardaient. Au-delà, le détroit de Long Island évoquait un bassin paisible. Un voilier ancré tanguait, son mat imposant dressé vers le ciel. Les flûtes à champagne brillaient sous le soleil, ainsi que les perles, les boutons de manchettes et les dents bien blanches. Lela eut l'impression de se retrouver dans une scène de *Gatsby le Magnifique*.

Ayant déjà fréquenté les milieux huppés, elle ne se sentait pas mal à l'aise. Elle savait comment se comporter dans ce monde. Seule l'anxiété de Simon la rendait nerveuse.

Elle allait se mêler à la foule lorsqu'il lui saisit le bras et l'entraîna sous une arche couverte de roses. Il semblait terriblement penaud, à présent.

— J'ai quelque chose à te dire, Lela.

Elle croisa les bras.

— Je t'écoute.

— Il ne s'agit pas d'une réception pour une œuvre de charité mais de... l'anniversaire de mariage de mes parents. Mon père s'inquiétait pour moi, il pensait que je n'avais pas de petite amie.

Lela éclata de rire. Elle ne s'attendait vraiment pas à cela.

— Je n'arrive pas à croire que tu n'aies pas pu emmener une autre fille.

Il pinça les lèvres d'un air buté.

— Je ne voulais pas emmener une autre fille. Je voulais que ce soit toi. J'avais peur que tu refuses de m'accompagner en sachant que cela n'avait rien à voir avec le travail.

— Il te suffisait de demander.

— Mais notre arrangement...

— Simon, coupa-t-elle en lui posant une main sur l'épaule. J'aurais dit oui. Je t'aime bien, tu sais.

Il cligna des yeux sous l'effet de la surprise, et elle le trouva adorable. Le fait qu'il veuille la présenter à ses parents l'émouvait étrangement, même s'il s'agissait de rassurer son père. Ses ex ne l'avaient jamais présentée à personne d'autre que leurs compagnons de beuveries.

— Je t'aime bien. Il n'y a pas que notre arrangement.

Il s'éclaircit la voix en rougissant.
— Moi aussi, je t'aime bien.

La mère de Simon était gentille et son père, un charmeur. Grands, minces, avenants, ils formaient un très beau couple. Howard avait les cheveux gris ; ceux de Tess étaient d'un beau blanc argenté. Elle semblait plus effacée que son mari, mais Lela devina très vite que c'était elle qui tenait les rênes et que le badinage du vieil homme était surtout destiné à amuser sa femme.

— Simon ne vous mérite pas, déclara-t-il à Lela dès qu'il la vit. Enfuyons-nous ensemble, je sais comment m'occuper d'une très belle femme.

— Ne faites pas attention, il est incorrigible, dit Tess.

Il insista ensuite pour lui griller sa viande lui-même, sous prétexte que l'amie de Simon était digne de ce qu'il y avait de meilleur. Son débit était un peu saccadé, et il lui expliqua deux minutes plus tard qu'il se remettait d'un AVC et qu'il ne pouvait séduire les femmes comme autrefois.

Lela lui assura qu'il était parfait. Il correspondait bien à la description que Simon lui avait faite : un homme impressionnant, ouvert et aussi jovial que son fils était réservé. Il avait le don pour mettre les gens à l'aise et se faire apprécier. Tess s'illuminait chaque fois qu'il la regardait, et elle semblait aussi adorer Simon.

Auprès de ses parents, ce dernier se montrait sous un jour différent, plus détendu, plus souriant. Se sentir aimé produisait vraiment des miracles, et Lela en eut les larmes aux yeux. Elle se reprit rapidement. Elle n'allait tout de même pas s'apitoyer sur son sort. Laisser ce manque insupportable qui l'avait poursuivie toute sa vie la hanter de nouveau. Mais elle avait beau lutter, elle ne put se mentir. Cette famille unie représentait exactement ce dont elle avait toujours rêvé. Elle voulait quelqu'un capable de lui donner son cœur.

Quand le soleil disparut derrière la maison, des lanternes chinoises roses et vertes furent allumées le long de filins tendus au-dessus des pelouses, telles des lucioles prenant vie avant les étoiles. Un orchestre s'installa sur une petite estrade et entonna des airs anciens. Simon l'entraîna dans une danse au son de *Volare, Till There Was You* et autres chansons sur lesquelles elle n'aurait pu mettre un nom.

— Des chansons pour draguer, les taquina Howard en virevoltant près d'eux avec Tess.

Simon ne paraissait pas découragé par ces danses d'un autre âge. Lela dans ses bras, il enfouissait son nez dans ses cheveux tandis qu'ils suivaient la musique, son pantalon se frottant légèrement contre sa robe. À la fin du premier air, il était déjà en érection et dut resserrer son étreinte autour de sa cavalière, qui ne s'en plaignit pas. Elle aimait sentir sa main chaude dans son dos, ses lèvres douces contre sa joue.

— Je suis bien, dit-il, quoiqu'il dût ressentir un léger inconfort.

Elle aurait presque pu croire qu'il devenait romantique.

Apparemment, la mère de Simon le pensait aussi. Lela la croisa en allant aux toilettes puis, sans savoir comment, elle se retrouva assise près d'elle dans un coin à l'écart du jardin. Tess lui tapota la main.

— Je suis contente que vous soyez là, lui dit-elle. C'est la première fois que Simon emmène une petite amie à la maison.

— Je... ne suis pas sûre d'être sa « petite amie ». Nous sommes plutôt amis, rien de plus.

Tess eut un sourire entendu.

— Quoi qu'il en soit, je suis très heureuse de vous avoir rencontrée. Simon ne se lie pas facilement.

Elle baissa la voix et ajouta :

— J'ai l'impression qu'il craint de nous être déloyal en s'attachant à quelqu'un d'autre.

Lela se sentait oppressée. Elle avait du mal à soutenir le regard à la fois joyeux et sérieux de sa compagne.

— Il doit beaucoup vous aimer.

— Oui, mais il a plus d'amour à donner qu'il ne le croit. Parlez-moi de vous, Lela, s'enhardit-elle soudain. Vos parents habitent-ils New York ?

On lui avait posé cette question des centaines de fois mais, pour la première fois, elle lui fit mal. Elle regarda ses mains croisées sur ses genoux.

— J'ai perdu mes parents il y a très longtemps.

— Oh, ma pauvre petite ! s'exclama Tess en passant un bras autour de ses épaules. Alors vous êtes une orpheline, vous aussi ?

Lela trouva ce « vous aussi » inapproprié. Son histoire n'avait rien de comparable avec celle de Simon. Elle ne pouvait faire comme si c'était le cas, encore moins devant cette femme adorable.

Les gens l'avaient toujours considérée comme exemplaire. Comme une gosse des foyers qui s'en était « sortie ». Mais Lela savait très bien qu'elle avait toujours ressemblé à un loup prêt à mordre la main qui l'avait nourrie. Parce qu'une part d'elle-même demeurait incapable d'accorder sa confiance. Toutes les relations qu'elle avait eues avaient été marquées par cette défaillance. Une défaillance qui courait dans ses veines telle une malédiction.

— Je suis désolée, dit-elle soudain, incapable de rester assise près de cette femme plus longtemps. J'ai un coup de téléphone à donner.

Simon la trouva dans la bibliothèque, en train de chercher un taxi qui prenait les cartes de crédit. Des larmes coulaient sur ses joues, mais sa voix était ferme. Quand elle le vit à la porte, elle se détourna. À la fois soulagé et inquiet, il lui prit le téléphone des mains et raccrocha.

— Tu n'as pas besoin d'un taxi, lui dit-il aussi doucement qu'il le put. Si tu veux rentrer, je te raccompagne.

Ses épaules se mirent à trembler. Elle paraissait incapable de lui faire face.

— Mais tes parents... la réception...

Il l'attira vers lui, mais elle croisa les bras comme pour se protéger.

— Ils comprendront.

Elle se laissa aller contre lui. Il mourait d'envie de la consoler. S'il avait pu lui faire l'amour tout de suite, il l'aurait fait.

— Ma mère ne voulait pas te blesser, tu sais.

Elle secoua la tête.

— Je ne comprends pas pourquoi je réagis ainsi.

Il l'embrassa sur le front.

— Un jour, l'un de mes colocataires m'a avoué qu'il ne m'avait jamais autant envié qu'après avoir passé un Noël chez moi. Howard et Tess sont formidables. J'ai conscience d'avoir eu beaucoup de chance.

— Tu les mérites, dit-elle en s'écartant pour s'essuyer le nez. Désolée. Je me sens ridicule. Je suis ce que je suis et ce n'est pas si mal.

Il fronça les sourcils.

— Pas si mal ? Tu es merveilleuse, Lela.

Elle fit la grimace, et Simon regretta de ne pas avoir les mots faciles comme son père ou comme Andrew. Il n'avait jamais été adroit avec les femmes. Il se pencha pour la regarder dans les yeux.

— Tu es merveilleuse, Lela, répéta-t-il. Pour moi, tu es merveilleuse.

Cela dut lui faire plaisir, car elle renifla et lui sourit.

— Je serais plus merveilleuse si j'avais un Kleenex.

Il en dénicha un dans le tiroir du bureau.

— Tu veux rentrer tout de suite ou rester encore un peu ?

Elle avait le bout du nez et les yeux rouges, mais elle était incroyablement jolie pour une femme qui venait de pleurer. En tout cas, selon lui, elle était toujours jolie.

— Restons, décida-t-elle. Ton père m'a promis une danse.

La soirée s'avéra extrêmement agréable – peut-être même la plus agréable de toute sa vie. Elle adora se voir considérée comme la petite amie de Simon, s'appuyer contre lui en l'écoutant parler de sa voix grave. Et il ne la lâcha pas une seconde.

Ils partirent à minuit, malgré les protestations de Howard.

— La nuit commence à peine ! s'exclama-t-il.

— Lela doit travailler demain. Elle a besoin de dormir, et toi aussi, d'ailleurs ! Je veux que tu prennes soin de toi, papa.

— Ne t'inquiète pas, dit Howard tandis que son fils le serrait contre lui.

Il conduisit en silence, mais un silence nullement gênant, au contraire. Simon garda une main sur sa cuisse pendant tout le trajet, la caressant de temps à autre comme pour lui rappeler qu'il ne l'oubliait pas. Elle contempla son profil dans l'éclairage de la route, ciselé, dur et empreint d'une étrange beauté.

Ses parents, ses vrais parents, auraient été tellement fiers de voir quel homme il était devenu. Lela était heureuse d'avoir croisé son chemin.

Mon Dieu, se dit-elle, je l'aime…

Cette révélation ne l'effraya pas autant qu'elle l'aurait cru. Seule l'ampleur de ce sentiment qu'elle abritait, cette vague qui grossissait en elle et ne demandait qu'à se libérer, lui faisait peur. Comment une seule personne pouvait-elle inspirer de telles émotions ? Comment les contenir ?

Physiquement, elle le désirait plus que jamais. Son sexe était brûlant. Il fallait qu'elle lui montre ce qu'elle éprouvait.

Elle se tourna sur son siège et posa la main sur la jambe de Simon.

— On te l'a déjà fait pendant que tu conduisais ?

Il retint son souffle.

— N'y pense même pas. Mon père ne me le pardonnerait jamais, si je cassais ma voiture avec toi dedans. Tu lui as fait une grande impression.

— Oui, n'est-ce pas ?

Sa main remonta le long de sa cuisse et elle sentit ses muscles se contracter. Elle la referma sur le renflement prometteur, y fit ensuite courir ses ongles.

— Lela.

— Je te réchauffe, c'est tout. Pour que tu sois prêt dès que nous serons à la maison.

— Lela.

— Chut, je travaille.

Elle replia une jambe sous elle et se pencha pour lui lécher le lobe de l'oreille. Ses ongles se promenaient toujours, à travers le pantalon, le long de son pénis. Elle le pinça doucement.

— Tu étais plus dur quand nous dansions. Tu avais peur que les gens le remarquent ? C'était pour cela que tu me serrais si fort ?

— Non, j'en avais envie. J'aime te serrer contre moi.

Lela sourit et lui mordilla l'oreille. Simon sursauta, et elle profita de sa surprise pour ouvrir sa braguette.

— Tu es tellement doux, Simon. Je me demande si les gens savent combien tu es doux.

Il rit.

— J'en doute, répliqua-t-il avant d'émettre un grognement quand ses doigts enveloppèrent son membre.

Il était comme de la soie entre ses mains, de la soie et de l'acier.

— Lela, si tu continues comme ça, tu vas obtenir davantage que ce que nous avions conclu.

— Promis ? fit-elle en se baissant pour poser les lèvres sur son sexe.

Elle se grisa de son odeur musquée, et du bout de la langue se mit à titiller l'extrémité.

La voiture fit une embardée et Lela se redressa, alarmée. Mais il s'arrêtait seulement sur le bas-côté.

— Ça suffit, jeta-t-il avec une pointe de colère.

Mais il n'était pas tant que cela en colère, parce qu'il la renversa sur le dossier, releva sa robe et détacha les agrafes de la guêpière.

Elle sentit le cuir contre son sexe nu, puis il fut sur elle. Son sexe brûlant entre ses jambes. Entre ses lèvres. Il voulut entrer en elle mais dans sa hâte il échoua, et pour la première fois elle l'entendit jurer. Elle heurta le levier de vitesse. Il se cogna la tête contre la vitre. Puis il trouva enfin sa voie et elle gémit de soulagement.

Comme chaque fois, son intrusion la bouleversa. Impatient, il se mit à aller et venir en une série d'à-coups qui lui permirent de s'enfoncer au maximum. Là où c'était si chaud, et si réceptif. Il dut s'interrompre, tellement c'était bon. Les yeux fermés, les lèvres entrouvertes, il sembla se concentrer pour ne jamais oublier à quel point c'était bon d'être en elle.

Appréciant autant que lui cette union sauvage, elle passa ses ongles dans son dos en ronronnant.

— Tu veux essayer quelque chose de nouveau ? le défia-t-elle.

Haletant, il la vit sucer son majeur de sorte à le mouiller, et son air d'incompréhension excita la jeune femme plus que tout.

— Tu sais ce que je vais en faire ?

Sans attendre sa réponse, elle le glissa entre ses fesses et l'y promena. Elle sentit son sexe donner une violente secousse en elle.

— Te rends-tu compte que nous sommes sur le bord de la route ?

— Tu sais ce que l'on dit ? « Ne jamais remettre au lendemain ce que l'on peut faire le jour même… »

— Mais…

— Dis-moi seulement si tu aimes.

— Oh, Seigneur… gémit-il quand elle s'enhardit, en même temps qu'il accélérait son mouvement en elle. C'est incroyable… Jamais je n'ai ressenti ça…

— C'est bien, je voulais être la première.

Des phares arrivant derrière eux illuminèrent l'intérieur de la Mercedes.

— Si ce camion klaxonne, je t'étrangle, dit-il.

Le camionneur klaxonna, et Lela éclata de rire.

— Viens, laisse-toi aller, le pressa-t-elle en reprenant sa caresse diabolique.

Simon s'arc-bouta violemment.

— Je ne veux pas être arrêté pour outrage aux bonnes mœurs au bord de la route.

Elle remonta les jambes autour de son dos.

— Plus vite. Je crois que j'aperçois une voiture de police.

Il se mit à rire à son tour.

— Mon Dieu, je t'aime.

Ce fut comme si les mots demeuraient suspendus. Il l'aimait ? Les yeux de Lela s'emplirent de larmes. Elle effleura son visage, essayant de scruter son regard malgré l'obscurité. Ce ne pouvait être vrai… Il était trop tôt, et puis un homme comme lui ne pouvait aimer une femme comme elle. C'était ridicule.

Il lui mordit le pouce en ralentissant son va-et-vient.

— Oh, non, ne t'arrête pas, dit-elle d'une voix altérée. Tu dois te dépêcher et nous ramener à bon port pour que nous puissions continuer correctement.

De toute façon, même s'il avait voulu prendre son temps, ce qu'elle lui infligea avec son majeur lui fit oublier tout le reste et il se mit à gémir de plaisir.

— Viens, Simon, viens en moi…

Éperdument excitée par les caresses qu'elle lui prodiguait pendant qu'il s'activait en elle, elle fut emportée par l'orgasme, et il la rejoignit dans l'extase en se déhanchant avec frénésie. Elle lui mordit l'épaule pendant qu'il pressait ses fesses en criant.

— Tu es folle, dit-il quelques instants plus tard en l'embrassant partout sur le visage.

— Oui.

Il la serra dans ses bras comme un trésor qu'il espérait ne jamais perdre.

— Oh… il faut que je te ramène, ajouta-t-il au bout d'un moment.

L'émotion s'était dissipée, et elle se demanda s'il regrettait d'avoir prononcé ces mots d'amour.

Rome

11

Béatrix se demanda si elle devait appeler Philip. Ils étaient tous les deux dans son appartement où flottaient des odeurs de térébenthine, dans la lumière perlée de Paris. Il allait bientôt pleuvoir, ce qui rafraîchirait l'atmosphère de cette chaude journée, arroserait ses roses et romprait le silence qui s'était installé entre eux.

Son tableau était fini. Trois mètres soixante sur trois. Le plus grand qu'elle ait jamais peint. Depuis un mois, il occupait toute sa vie. Elle s'était coupée du monde, y avait consacré ses journées et une bonne partie de ses nuits. Encore cinq minutes, se disait-elle souvent. Et quand elle s'arrêtait, l'aube se levait. Les personnages, une adolescente avec ses deux jeunes frères, étaient incroyablement réels, de même que l'eau du canal, le bleu du ciel et la luxuriance de l'herbe. Sa sueur et son sang se retrouvaient dans chaque coup de pinceau.

Elle connaissait les personnages. Cette petite famille avait connu l'amour et la perte, la guerre, et maintenant la paix. Dans un sens, ils représentaient une famille telle qu'elle la rêvait.

Elle ignorait si ceux qui le verraient comprendraient. Elle l'espérait, mais elle n'avait toujours pas digéré la tiédeur des critiques lors de sa première exposition.

C'est bon, s'était-elle dit en apposant la dernière touche de blanc dans les yeux du petit garçon. C'est le meilleur que j'aie jamais peint. S'ils ne l'aiment pas, ils n'aimeront jamais rien.

Cette certitude l'avait étrangement apaisée. Si elle renonçait à essayer de leur plaire, elle serait libre de peindre ce qu'elle voulait. Elle avait peur, mais il s'agissait d'une peur saine, stimulante. Toutes ses toiles à venir étaient blanches.

Sans pouvoir s'en empêcher, elle avait composé le numéro de Philip sur son portable. Bien qu'il fût en plein travail, il avait accepté de venir tout de suite. Ils n'avaient pas échangé un mot depuis trois semaines, depuis leur fatale promenade en taxi pour Versailles. Elle avait enfoui son désir de lui dans la peinture mais à présent, elle se demandait si le fait qu'il n'ait pas hésité à venir sur-le-champ signifiait qu'elle lui avait manqué. Et si oui, ce qui lui avait manqué exactement. Sa belle-fille ? Son amante d'un jour ? Son amie ?

Pour elle, il était son ami. Leur séparation le lui avait fait comprendre. Elle avait abusé de sa gentillesse et de sa patience, mais il lui avait terriblement manqué.

Elle l'appela, et il observa son tableau avec une expression indéchiffrable.

— Alors ? dit-elle au bout d'un moment, incapable d'attendre plus longtemps.

Il se tourna vers elle, le sourire aux lèvres, ses beaux yeux gris brillant d'un éclat nouveau.

— C'est magnifique, laissa-t-il tomber.

Il dut s'éclaircir la voix avant de poursuivre.

— Mon grand-père vivait à Londres pendant les bombardements. Il me racontait souvent les coupures de courant et les raids aériens. Quand je vois des images comme celle-ci, je pense à lui.

— Tu ne trouves pas ça trop sentimental ?

Il secoua la tête.

— Non. C'est toi, Béa. Il a ton côté tranchant, ton esprit. J'y vois de la douleur, de l'espoir et une humanité extraordinaire. Tu as peint avec ton cœur, et c'est comme ça qu'il fallait que tu peignes.

Béa sentit les larmes lui picoter les yeux. Jamais elle n'aurait cru qu'il la connaissait si bien et qu'il l'admirait autant. Elle baissa les yeux vers le sol maculé de peinture.

Il lui effleura la joue.

— Merci de m'avoir appelé. J'avais peur que tu ne veuilles plus me revoir après… après la dernière fois.

— Moi, je pensais que toi, tu ne voudrais plus me revoir.

Il lui prit la main et la serra dans la sienne, puis étudia le tableau comme s'il n'osait pas la regarder, elle.

— Ce qui se passe entre nous est troublant, Béa.

— Je sais.

— Si les gens apprenaient ce qui s'est passé…

— Ils diraient que tu as couché avec l'héritière de la famille Clouet pour asseoir ta position.

Ébahi, il écarquilla les yeux avant d'éclater de rire.

— Cette éventualité ne m'avait pas effleuré, mais au point où j'en suis, je ne m'en offenserais pas.

— Je n'y crois pas une seconde, Philip. Je sais que tu as travaillé dur pour obtenir tout ce que tu as.

Il prit son autre main et lui fit face, comme s'ils étaient deux enfants sur le point de danser.

— J'en suis heureux.

L'air grave, il ajouta :

— Je n'ai pas cessé de penser à ce qui s'est passé dans ce taxi. C'est la chose la plus incroyable qui me soit jamais arrivée.

— À moi aussi, avoua-t-elle, tout en se demandant si cette « chose » avait la même signification pour lui.

Car pour elle, le seul fait qu'il se soit passé quelque chose entre eux, après avoir rêvé de lui en secret pendant tant d'années, représentait une sorte de miracle. Il la regardait avec la même affection, mais le mystère demeurait entier. Quel genre de sentiments éprouvait-il envers elle ?

Des sentiments sûrement moins profonds que les siens...

— Je veux l'acheter, dit-il en désignant le tableau. Je l'accrocherai dans mon bureau.

Elle ouvrit de grands yeux en entendant la somme qu'il annonçait.

— Philip !

— C'est le tarif actuel.

— Peut-être, mais...

— Je crois que je vais prévenir la presse, ajouta-t-il sans l'écouter.

— La presse !

Son brusque sourire lui fit comprendre qu'il s'amusait.

— Tu n'en voudras pas à *Meilleurs Amis* de cette attention ? Ce n'est pas tous les jours que la fille d'une célèbre institution de mode se révèle être une artiste de talent.

Béa rougit de plaisir.

— Je suis incapable de vendre quelque chose à des proches.

— Tu en es capable, Béa, et tu le feras.

Philip signa le chèque avec panache et le posa sur le bureau. Il sourit quand Béa secoua la tête, émerveillée. Il s'était rarement occupé d'acheter des œuvres dans sa vie. Cela n'entrait pas dans ses responsabilités mais à présent, il se rendait compte que cela avait été une erreur. Jouer les bienfaiteurs n'était pas dénué de charme.

— C'est beaucoup d'argent, commenta-t-elle.

— Pas plus que ce que tu vaux.

Elle grimaça.

— Selon toi.

— Oui, selon moi, acquiesça-t-il plaisamment. Je dois t'avouer que j'ai d'abord été tenté de l'acheter sur mon compte personnel et de l'accrocher chez moi. Mais j'aurais été le seul à en profiter, alors que s'il est dans mon bureau, toute l'entreprise se sentira fière de le posséder.

Béa lui coula un regard teinté d'humour.

— Prendre l'argent de *Meilleurs Amis* me semble vaguement incestueux.

— C'est vaguement incestueux, admit-il en contournant le bureau pour s'asseoir sur le coin. Béa, ce n'est que ton premier gros chèque. Il y en aura d'autres. Dans dix ans, tu diras que je t'ai volée.

— Espérons-le !

L'éclat taquin de ses yeux lui donnait envie de l'embrasser. Dieu, qu'elle lui avait manqué ! Et Dieu, qu'il avait envie d'elle ! Il n'avait cessé de penser à elle, de rêver d'elle, se remémorant inlassablement chaque seconde de ce qui s'était passé dans le taxi, la nuit et le jour, comme s'il l'avait eue dans la peau depuis des années et ne pouvait plus faire semblant de l'ignorer. Peut-être avait-il seulement cru à de l'affection ou de la sympathie ? Il avait toujours aimé sa compagnie. Même quand elle était de mauvaise humeur, il appréciait sa présence. Et quand elle était joyeuse, comme en ce moment, son bonheur lui importait plus que le sien.

Et si… s'il était tombé amoureux d'elle ?

Cette question le prit au dépourvu. Mon Dieu ! Il n'était pas prêt. Les blessures qu'Ève lui avait infligées n'étaient pas cicatrisées. Il ne pourrait supporter de souffrir une deuxième fois, et encore moins à cause de Béa.

— Dis-moi, lança-t-elle en lui donnant un léger coup de poing sur l'épaule. Si je t'emmenais dîner, ce soir, pour dépenser mon argent injustement gagné ?

— Ça m'aurait plu, mais je prends l'avion pour Rome. Je dois voir l'un de nos fournisseurs.

— Rien de grave, j'espère ?

Il prit un stylo et le tapota sur sa cuisse.

— Non, mais je ne lui ai pas rendu visite depuis un certain temps, et je ne voudrais pas que le *signor* Amalfi croie que nous l'avons oublié.

— Ah, le bottier.

— Oui.

Le vieux M. Amalfi créait des modèles uniques et souvent fantastiques pour *Meilleurs Amis*. Parfois, il reproduisait des modèles historiques tels que des « Marie-Antoinette » récemment. Ses chaussures étaient à peine confortables, hors de prix, mais elles connaissaient un succès unanime dans toutes les boutiques.

En fait, il ne s'agissait pas d'une visite de courtoisie. Le jeune M. Amalfi, Alberto, le petit-fils chargé de la comptabilité, était un homme pratique. En raison des récentes dépenses de Philip pour le magasin de Pékin et la réfection de celui de Milan, Alberto avait exprimé certaines inquiétudes. En effet, Philip ne payait souvent ce qu'il achetait qu'après l'avoir vendu. Au pire, ils pourraient se passer des chaussures Amalfi ou payer cash, mais les autres fournisseurs l'apprendraient et demanderaient à leur tour le même traitement, ce que Philip ne pouvait se permettre.

Voilà pourquoi il comptait régler le problème au plus vite en se déplaçant. Autrefois, le vieil Amalfi avait été l'amant de Sophie, un amant heureux qui entretenait depuis avec les Clouet des rapports harmonieux. Philip le lui rappellerait. Il lui exposerait aussi l'intérêt de ses récents investissements ainsi que ses projets. Lui montrerait que *Meilleurs Amis* restait la meilleure vitrine possible pour ses chaussures.

Et surtout, il exprimerait l'admiration que le talent du vieil homme lui inspirait, une admiration sincère qui plus est.

Mais il ne voulait pas inquiéter Béa avec ces petites mises au point.

— Ce sera un court voyage, précisa-t-il. Je serai de retour lundi.

— Tu devrais en profiter pour rester un peu à Rome. Depuis quand n'as-tu pas pris un peu de bon temps ?

— Depuis la dernière fois avec toi, ne put-il s'empêcher de répondre.

Il le regretta aussitôt lorsqu'il la vit rougir. Obéissant à une impulsion, il posa alors les mains sur ses joues enflammées.

— Viens avec moi. Nous mangerons des pâtes, nous nous promènerons, nous profiterons du soleil italien. Peut-être même trouveras-tu l'inspiration pour ton prochain tableau ?

Elle souriait.

— J'ai toujours eu un faible pour le *gelato*…

— Je connais un glacier formidable sur la Via Veneto. Son abricot-pêche te fera te pâmer. Dis-moi que tu viens, ajouta-t-il en lui pressant l'épaule. Sinon je serai obligé de la manger sans toi.

— D'accord, je viens.

Sa réponse l'emplit d'un bonheur qu'il n'avait pas le droit d'éprouver.

Béatrix avait l'impression de faire une escapade avec un homme marié. Le sentiment de culpabilité ne la quittait pas, mais elle refusait de s'y attarder. Rome était une autre ville, un autre monde. Une fois qu'ils auraient vu M. Amalfi, ils seraient tous les deux, loin des regards curieux et avides de Paris.

Tout pouvait arriver. Philip la regardait autrement à présent, avec une sorte de faim… du même ordre que celle qu'il avait exprimée dans le taxi ? Ou s'agissait-il d'autre chose ?

À Rome, elle saurait.

Ce petit refrain dansait dans sa tête tandis qu'elle préparait son sac. Tout d'abord, ses carnets de croquis, quelques jolies robes, ses dessous les plus sexy, sa pilule et une bonne provision de préservatifs.

Je l'aurai, se dit-elle avec détermination. Et elle frissonna à cette perspective. Dehors, la cloche du Sacré-Cœur sonna. Son sang se mit à courir plus vite dans ses veines. Philip l'attendait en bas, dans un taxi. Elle ajouta une paire de chaussures Amalfi noires, ouvertes derrière, et ferma le sac en cuir.

À nous deux, Rome, la Cité éternelle !

Ils se racontèrent des choses qu'ils n'avaient jamais évoquées jusqu'ici. Des souvenirs d'enfance, de gens ou d'endroits qu'ils avaient connus. À tel point que leur exploration de Rome leur parut beaucoup moins captivante que leur découverte l'un de l'autre. Ils s'aperçurent avec surprise qu'ils ne se connaissaient pas vraiment et qu'ils avaient un tas de points communs.

La nuit était tombée depuis longtemps quand ils rentrèrent à leur hôtel, sur la Via Veneto. Même si la ville avait changé depuis le temps de *La Dolce Vita*, elle restait une plaque tournante de la mode et du luxe.

Philip avait retenu une seule chambre, sans même lui demander son avis. Il avait eu raison, bien sûr, mais peut-être avait-il aussi craint de se heurter à un refus. Quoi qu'il en soit, elle ne put résister au désir de le taquiner.

— Un seul lit ? feignit-elle de s'étonner.

— Et deux oreillers.

— Il m'en faut deux.

— Nous prendrons un coussin du canapé.

— Le canapé ! Voilà où je vais dormir.

Un lent sourire apparut sur les lèvres de Philip.

— N'y pense même pas, Béa.

Elle aimait ce climat de badineries qui s'était installé entre eux.

— Je vais prendre une douche, décida-t-elle.

— Je t'attends. Nous avons toute la nuit devant nous.

Cette promesse érotique lui tint compagnie pendant que l'eau coulait sur sa peau où moussait un savon très doux. Elle l'imagina en train de se déshabiller, de dénuder peu à peu son corps musclé. Peut-être pensait-il à elle de la même façon ? Peut-être était-il déjà en érection. Elle ferma les yeux et passa ses mains sur son ventre déjà embrasé, entre ses jambes, sur ses seins, et elle se surprit à aimer ce corps, à l'idée du plaisir qu'il allait lui procurer.

Quand elle sortit de la salle de bains, les cheveux mouillés, enveloppée dans une serviette, il était nu près du lit. C'était la première fois qu'elle le voyait dans le plus simple appareil, et elle s'arrêta net.

— Viens ici, dit-il doucement.

Alors qu'elle s'approchait, son pénis sembla se redresser. Grossir. Durcir.

Fascinée par son extrémité plus rose, elle dénoua la serviette sans le quitter des yeux.

— Tu aimes me regarder, Béa, n'est-ce pas ?

— Il y a longtemps que je rêve de toi nu, s'entendit-elle répondre.

Il soupira et glissa une main entre ses jambes, remonta vers ses seins.

— J'adore tes seins, dit-il en les caressant. Je me sens tout faible lorsque je les regarde.

Leurs bouches se mêlèrent, leurs corps se collèrent l'un à l'autre, s'emboîtant à la perfection, comme s'ils étaient faits l'un pour l'autre. Ils s'enlacèrent étroitement.

— Quoi d'autre ? murmura-t-elle contre ses lèvres. Qu'est-ce qui te rend tout faible ?

Avec un gémissement sourd, il la souleva dans ses bras et la déposa sur le lit.

— Tout, souffla-t-il en s'allongeant sur elle sans cesser de la caresser partout. Tout en toi me rend faible. Tes seins, tes jambes, la douceur de ton ventre sous ma main. Les petites boucles de tes cheveux. L'odeur de ton cou. Ton rire. La cambrure de ton dos…

Ce disant, il embrassait ce qu'il nommait avec une telle ferveur, un tel érotisme qu'elle ne put s'empêcher de gémir. Il découvrit qu'elle était mouillée et l'embrassa là aussi. Puis il enfouit un doigt en elle et le ressortit pour passer le baume de son désir sur son sexe.

— Tu me rends faible quand tu jouis, enchaîna-t-il d'une voix rauque.

— Et quand je te touche ? demanda-t-elle en refermant les doigts autour de son pénis.

Elle le sentit palpiter dans sa main et Philip ferma les yeux lorsqu'elle fit rouler la peau jusqu'à l'extrémité.

— Particulièrement quand tu me touches, acquiesça-t-il dans un soupir, se dégageant afin de pouvoir se baisser et happer les bouts de ses seins dans sa bouche.

Il la prit à la taille et l'attira vers lui en se concentrant sur un téton. Béa lui caressa les cheveux puis la nuque tandis qu'il la maintenait fermement. Des émotions si intenses la submergèrent qu'elle faillit pleurer. Elle avait l'impression qu'ils se réconfortaient mutuellement pour des blessures qu'ils n'avaient jamais pu exprimer.

— Prends-moi, souffla-t-elle contre sa tempe. Je ne peux plus attendre.

Il se souleva légèrement.

— Je ne veux pas me protéger, comme la première fois, d'accord ? Je ferai attention.

Elle effleura ses lèvres du bout des doigts.

— D'accord.

Il entra lentement en elle, avec une douceur infinie, et se mit à trembler dès qu'elle se contracta autour de son membre.

Retenant le poids de son corps sur un coude, il dégagea les cheveux du front de Béa, qui tentait vainement de ravaler la plainte sourde que sa délicieuse intrusion faisait monter en elle.

— Béa... Si tu savais à quel point ça me rend faible...

Elle l'enveloppa de ses bras et de ses jambes et pressa ses fesses musclées entre ses doigts. Il frissonna.

— Tu es fort... Tu es... divin...

Il sourit, puis commença à bouger dans un va-et-vient d'une sensualité extrême, tout en plongeant ses yeux dans les siens. Sans se dérober, ni lui permettre de se dérober. Avec un autre, ce regard profond et direct aurait été intolérable, mais avec Philip, elle n'éprouvait que de l'exaltation. Sa prévenance, sa force tranquille la bouleversèrent.

Jamais elle ne l'avait aimé à ce point. Jamais elle ne s'était sentie aussi belle qu'en cet instant. Les légères altérations de son visage trahissaient le plaisir qu'elle lui donnait, et cela l'enchantait.

— Je voudrais rester ainsi pour toujours, chuchota-t-il.

Mais comment retenir les exigences d'une telle volupté ? Béa sentait l'orgasme monter inexorablement tandis que Philip amplifiait la cadence. Un sourire illumina son regard, un sourire qui devint presque une grimace car il était au bord, lui aussi. Il lui saisit les épaules et, pour la première fois, ferma les yeux. Alors, sans prévenir, il donna une série de coups de reins si appuyés que le plaisir de Béatrix explosa.

Elle cria et l'instant d'après, le cri de Philip lui répondit. Ce fut seulement lorsqu'elle sentit un liquide chaud sur son ventre qu'elle s'aperçut qu'il s'était retiré.

Il se laissa tomber sur elle, sans forces, puis roula sur le côté. Se tournant vers lui, elle glissa une main sur son pénis.

— Philip...

— Je suis prudent, c'est tout.

— Je te rappelle que je prends la pilule.

— C'est juste au cas où.

Curieusement, elle n'était pas sûre qu'il tentait de la protéger en prenant un excès de précautions. Elle le croyait quand il lui assurait qu'il n'avait jamais eu de rapports non protégés. S'il y avait un homme sur terre dont elle ne doutait pas, c'était bien lui. Et ils avaient fait des tests chaque fois que la collecte de sang était passée chez *Meilleurs Amis*. Donc, le problème était ailleurs. Ses remarques acerbes auraient-elles fini par le rendre méfiant ? Ne croyait-il pas qu'il comptait vraiment pour elle ?

Elle enfouit les doigts dans la toison blonde qui bouclait sur son torse.

— J'ai l'impression que tu ne veux pas te donner, dit-elle alors.

Il ouvrit la bouche, la referma, puis ramena Béa contre lui et embrassa ses cheveux.

— Il y a un risque, répliqua-t-il.

Une réponse qui n'en était pas une.

Lorsqu'elle se réveilla près de lui, le lendemain matin, les nuages s'étaient éloignés. Ils refirent l'amour, plus vite, plus légèrement, puis se préparèrent pour la journée. La visite au signor Amalfi se passa à merveille. Ils charmèrent le vieil homme comme un tandem bien huilé. Ensuite, les deux hommes restant seuls pour discuter « sérieusement », Béatrix enleva ses chaussures et s'installa sur une chaise longue au bord de la piscine.

L'air était parfumé, le soleil méditerranéen resplendissait au point de lui faire oublier ses craintes.

Sa chaleur se propageait à tout son corps et les souvenirs de leurs ébats lui revinrent. Elle se rappela comment elle l'avait caressé, comment elle continuerait s'il était près d'elle en ce moment. Elle lui donnerait un tel plaisir qu'il ne voudrait plus jamais la quitter. Elle voulait le rendre fou. Elle voulait qu'il lui appartienne complètement.

Quand il vint la chercher, elle avait le ventre en feu...

Sa discussion d'affaires avait dû bien se passer parce qu'il souriait, l'air apaisé.

— Tu as fait une bonne sieste ?

— Oh, oui, dit-elle en s'étirant.

Dès qu'ils eurent quitté la villa, il lui prit la main et la pressa contre ses lèvres. Ce geste la réconforta. Ses baisers semblaient lui dire : « Je t'appartiens, je t'appartiens... »

Philip loua une Vespa et ils parcoururent les rues vides pendant l'heure sacro-sainte de la sieste. Seuls les touristes se promenaient mais à quinze heures, la ville se réveillerait.

En attendant, Philip et Béa se rendirent au parc Gianicolense ombragé de palmiers et peuplé de senteurs florales. Ils visitèrent la Piazza San Pietro, contemplèrent le Castel Sant'Angelo et traversèrent le Tibre.

Malgré la chaleur, Béatrix enroulait ses bras autour de la taille de Philip et se pressait contre son dos, sur le deux-roues.

Ils admirèrent des œuvres du Caravage dans une église. Ses personnages empreints de lumière semblaient jaillir de l'obscurité comme s'ils étaient réels. La force de sa peinture émut profondément Béa, qui se dit qu'elle avait encore beaucoup à apprendre avant d'en arriver là. Une vie n'y suffirait peut-être même pas.

Derrière elle, son menton dans ses cheveux et ses bras autour d'elle, Philip la laissait contempler les œuvres sans mot dire, mais sa présence décuplait son plaisir. Elle savait qu'il appréciait le génie du peintre. Lui-même avait été un artiste. Il avait suffisamment étudié pour comprendre. Ils restèrent longtemps dans l'église fraîche que les siècles avaient à peine abîmée.

Philip finit par poser un baiser sur son crâne.

— Veux-tu aller Via Condotti, chez *Meilleurs Amis* ?

— Oui, répondit-elle alors qu'elle se souciait comme d'une guigne de la boutique, en cet instant.

Heureusement, la visite fut brève. Les Italiens menaient le magasin à leur idée mais il était prospère. Philip n'intervint pas. Il acheta un chapeau de paille orné d'un ruban jaune à Béa pour protéger sa peau fragile du soleil, décréta-t-il. La vendeuse la contempla d'un air attendri, comme si elle pensait qu'elle avait de la chance que son compagnon soit aussi amoureux. Ce n'était pas vrai, mais cela n'avait pas d'importance.

Ils reprirent la Vespa et roulèrent au hasard, choisissant des rues ombragées. Finalement, ils se retrouvèrent sur la Via Appia où la circulation se fit moins dense. Peu à peu, Béa prit conscience des vibrations du moteur entre ses jambes, de son corps pressé contre celui de Philip. Contrairement à ses habitudes, il portait une tenue décontractée, un jean délavé et une chemise blanche aux manches relevées jusqu'aux coudes. Elle sentait la force de ses muscles, la chaleur de sa peau contre son visage. Il ressemblait à l'homme qu'il était avant d'épouser sa mère, celui pour lequel son cœur avait chaviré au premier regard. Aujourd'hui, elle le désirait plus que jamais. Et puis, elle savait ce qu'il y avait sous ses vêtements légers…

Comme s'il avait perçu les sensations nouvelles qui couraient en elle, sa respiration s'accéléra. Elle glissa alors une main vers son ventre et il frissonna. Satisfaite, elle lécha une goutte de sueur qui venait d'apparaître sur sa nuque.

Il dit quelque chose qu'elle ne comprit pas à cause du bruit du moteur et couvrit ses mains de la sienne, les caressant doucement avant de reprendre le guidon.

Béatrix sourit en imaginant son sexe durci, malgré les réticences de Philip à s'exposer en public dans ces moments-là. Mue par une audace espiègle, elle glissa sa main plus bas et le caressa à travers le jean. La Vespa fit une embardée et elle crut l'entendre jurer.

Le soir approchait lorsqu'il s'arrêta devant un tombeau antique, hélas rongé par la pollution. Il coupa le contact et massa son entrejambe échauffé.

— Tu es diabolique, Béa.

Elle rit et, après s'être assuré qu'il n'y avait pas de témoins, il l'embrassa sauvagement sur la bouche.

— Viens, dit-il en l'entraînant sur un petit chemin herbeux.

Ils s'enfoncèrent sous les arbres, à l'ombre des ruines. Les feuilles chuchotaient sous la brise. La terre chauffée par le soleil tout autour dégageait une odeur puissante. La sueur plaquait la chemise de Philip sur son dos et Béa eut envie de se lover contre son corps moite. Elle espérait qu'il ne l'avait pas seulement emmenée ici pour jouir de la vue...

— Tu es déjà venu ici ?

Il eut un petit sourire étrange.

— Non. Mais j'ai entendu parler de cet endroit.

Il n'était pas le seul.

À l'ombre d'un mur, ils aperçurent un couple enlacé. Ils se caressaient avec une telle ardeur qu'on eût dit qu'ils allaient faire l'amour d'un instant à l'autre. Philip et Béa s'immobilisèrent, et il lui murmura à l'oreille de ne pas regarder.

— Ces ruines sont connues pour abriter des ébats amoureux à toute heure du jour et de la nuit.

Sans lâcher la bouche de sa compagne, l'homme s'écarta un peu pour descendre la fermeture de son jean. Il dégagea un sexe très long et légèrement incurvé au bout. Impatiente, la femme releva sa robe et l'aida à trouver son chemin entre ses cuisses.

— *Bene !* grogna l'homme en se déhanchant contre elle.

Bientôt, des plaintes leur échappèrent. Il allait et venait à une vitesse impressionnante, le visage cramoisi, ruisselant de sueur.

— *Sì... sì...* gémit la femme en enroulant ses jambes autour de ses reins.

Leurs bouches se dévoraient et on apercevait leurs langues avides par instants.

— Viens, dit Béa en tirant Philip par la manche. Laissons-les.

Il la suivit au détour du mur, et ils se retrouvèrent devant une petite excavation, à l'abri des regards. Exactement ce qu'il leur fallait, songea Béatrix, excitée par sa promenade en Vespa et par le spectacle auquel ils venaient d'assister.

Elle attira Philip contre le mur et ouvrit son jean sans perdre de temps.

— Béa... nous ne sommes pas seuls...

Tournant la tête, elle aperçut un jeune homme à quelques mètres qui les observait, l'œil brillant. Grand et mince, il devait avoir une vingtaine d'années.

— Ne vous gênez pas pour moi, lança-t-il avec un fort accent italien. J'ai l'habitude.

Un voyeur, songea Béa. Se souvenant de leurs ébats dans le taxi, elle sourit et répondit à Philip :

— Tais-toi... et laisse-moi faire.

Son sexe était dans sa main, moite et brûlant. Elle le caressa savamment, puis fit rouler la peau pour en dégager l'extrémité. Elle s'agenouilla, effleura cette zone sensible avec sa langue.

— Béa, je... Oh !

Elle venait de refermer ses lèvres autour de son pénis et ses doigts à la base. D'un côté elle aspira doucement, et de l'autre elle exerça un petit va-et-vient. Il ne résista pas longtemps à cette double stimulation. Tremblant, il gémissait de plaisir, ses mains dans ses cheveux pour mieux la guider. Mais au moment où il allait jouir, il se retira et l'obligea à se relever.

En une seconde, il s'agenouilla à son tour et fit glisser sa culotte le long de ses jambes, sous sa robe. Il la mit dans sa poche et, attirant la jeune femme vers lui, il enfouit la tête entre ses cuisses. Béa s'accrocha à ses épaules tandis que la langue de Philip s'insinuait dans les replis de son sexe, trouvait le clitoris. S'y collait. Y entamait une petite valse irrésistible qui fit monter l'orgasme avec une telle violence qu'un cri lui échappa. Aussitôt, il se releva, la souleva en la prenant sous les fesses et s'arc-bouta pour la pénétrer.

Le plaisir interrompu repartit de plus belle alors qu'elle nouait ses jambes autour de lui. Des grondements résonnaient dans la poitrine de Philip au rythme de son va-et-vient débridé, et leur extase s'accrut en un concert sauvage.

Quand ils revinrent à eux, affalés contre le mur, toujours unis, ils aperçurent le jeune homme qui s'éloignait en sifflotant.

La nuit était presque tombée.

12

Ce soir-là, ils dînèrent au restaurant de l'hôtel, bien que Béatrix eût préféré aller dans une trattoria. Mais Philip semblait pensif. L'avait-elle forcé une fois de plus à franchir les limites ? Faire l'amour en sachant qu'on les regardait avait certes un côté excitant, mais il lui en voulait peut-être de l'inciter à transgresser certaines règles. Tout comme elle en avait voulu à Lela, lorsqu'ils avaient fait l'amour à trois. Curieusement, elle se sentait prête à lui pardonner, à présent.

Comme s'il avait deviné l'objet de ses pensées, il lança soudain :

— Au fait, j'ai oublié de te dire que j'ai reçu le projet de Lela pour le magasin de New York.

— Ah ? s'étonna-t-elle en avalant sa bouchée de *bruschetta*.

— Elle a fait du bon travail. Elle a des idées, notamment d'acheter certains articles chez des artisans locaux pour donner une nouvelle identité au magasin.

— Tu penses l'engager comme directrice de la boutique, alors ?

— Je ne sais pas. C'est une grande responsabilité. Tu la crois capable de l'assumer ?

— Tu… tu me le demandes ? répondit-elle, prise de court.

Philip parut surpris.

— Eh bien, oui ! Tu la connais mieux que moi et ton opinion m'est indispensable. J'aimerais savoir si nous pourrons lui faire confiance.

Béa se rendit compte qu'il lui suffisait de dire non, et Lela n'en saurait jamais rien. Philip ne lui révélerait pas les raisons de son refus. Mais elle avait, bien sûr, spontanément envie de dire oui. D'un autre côté, attendre de son amie plus qu'elle ne pouvait donner ne serait pas un service à lui rendre. Ni à elle, ni à eux. Elle devait s'efforcer d'être objective, de réfléchir uniquement en fonction de ce qui servirait le mieux leurs intérêts.

Elle but une gorgée de vin, puis un peu d'eau.

— Je pense que tu ne devrais pas lui donner toutes les responsabilités d'un seul coup, dit-elle très vite. Dominique Pomier a un frère à New York. Pourquoi ne pas les laisser travailler ensemble un certain temps ? Je doute que l'actuelle directrice forme Lela correctement, quand elle aura compris qu'on veut la remplacer.

À sa grande surprise, cette proposition fut accueillie par un large sourire.

— Quelle idée formidable ! Je parlerai à Dominique dès demain. Tu sais, Béa, tu as le sens des affaires. Si tu n'avais pas autant de talent pour peindre, je ne serais pas mécontent que tu t'intéresses de plus près à *Meilleurs Amis*.

— *Meilleurs Amis* m'intéresse. Tu n'auras qu'à me demander mon avis chaque fois que tu le souhaiteras.

— Oui, bien sûr. Mais seulement dans la mesure où cela n'interfère pas avec ton art. Je suis désolé de ne pas avoir compris plus tôt ce que représente la peinture pour toi, et à quel point tu es douée. Je suis fier de toi, Béa. Vraiment fier.

Et il lui tapota la main à sa manière paternelle, comme il l'avait souvent fait par le passé. Elle trouva ce geste insupportable. Il n'allait tout de même pas redevenir son « beau-père », après tout ce qui s'était passé entre eux ? Elle baissa la tête vers son assiette et s'aperçut qu'elle avait mangé une autre *bruschetta* sans s'en rendre compte. Non, elle n'allait pas recommencer à se détester parce qu'elle mangeait trop, ou parce qu'elle ne faisait pas exactement ce qu'attendait Philip. Elle n'était pas parfaite, et alors ? Personne ne l'était. Après tout, s'il lui en voulait pour ce qui s'était passé tout à l'heure, c'était son problème.

Et si elle comptait vraiment pour lui, il passerait outre.

Il tendit soudain la main pour lui caresser la joue.

— Que t'arrive-t-il, Béa ? Quelque chose ne va pas ?

Les mots franchirent la barrière de ses lèvres avant qu'elle n'ait pu les retenir.

— Tu regrettes pour cet après-midi, n'est-ce pas ? Tu m'en veux.

Il la fixa en silence un instant puis, tout à coup, il approcha sa chaise de la sienne et lui prit la main.

— Non, Béa, je ne regrette rien. Ce n'est pas ça…

— Alors qu'est-ce que c'est ? Tu n'as presque rien dit, depuis que nous sommes rentrés.

— Écoute, il faut que tu comprennes que… ce n'est pas simple pour moi. Je ne regrette rien de ce qui s'est passé entre nous, même si j'ai eu du mal à franchir le pas. Je ne devrais peut-être pas te le dire, mais… j'ai aimé ta mère. Je ne l'ai sans doute pas toujours bien comprise, mais je l'aimais.

Béa eut l'impression que le sol se dérobait sous elle.

— Je sais, murmura-t-elle.

— J'ai tort de faire des comparaisons, mais ce que j'éprouve pour toi est différent. J'ai confiance en toi, Béa, et je ne me sens pas coupable de t'aimer. Tu me rends heureux et… et fier.

Fier ? s'étonna-t-elle. Fier de l'aimer, elle ? Le cœur de Béa battit à tout rompre. En l'espace de quelques secondes, elle venait de passer de la consternation à la déprime, puis de la joie à l'incrédulité. Elle eut l'impression que tout se mettait à tourner.

— Tu m'aimes ? demanda-t-elle dans une sorte de balbutiement.

Elle se perdit dans son magnifique regard gris pour y puiser la vérité. Comme toujours, ses yeux exprimaient la douceur, une grande tendresse, mais ce soir ils brillaient de larmes.

— Je t'aime, dit-il d'une voix aussi altérée que la sienne. Je t'aime comme un homme aime la femme avec laquelle il veut partager sa vie.

— Oh…

Elle effleura sa joue, les doigts tremblants.

— Moi aussi je t'aime, Philip. Je t'aime depuis toujours.

La surprise s'inscrivit sur son visage et elle comprit qu'il n'en avait rien su, pendant tout ce temps. La tristesse succéda à la stupeur de cette révélation, puis il sourit… et ce sourire chassa les ombres.

— Béa… dit-il en s'emparant de sa bouche pour l'embrasser devant tout le monde, au milieu du restaurant.

Ses bras se refermèrent autour d'elle et il l'attira pour un nouveau baiser encore plus ardent. Elle émit un « oh » qui fut assourdi par sa langue qui se démenait contre la sienne.

— Béa, reprit-il au bout d'un moment, tu tiens vraiment à prendre un dessert ? Parce que la faim qui me dévore en ce moment, tu es la seule à pouvoir l'apaiser.

Béatrix était plus que disposée à le suivre, mais une voix tomba alors comme un couperet dans son bonheur, une voix insinuante, pleine de sous-entendus.

— Bonsoir, Philip…

Marie d'Ardennes. La meilleure amie d'Evangeline et l'épouse du banquier de l'entreprise. Mince et menue, elle ressemblait un peu à Nancy Reagan dans son tailleur Chanel. C'était aussi une vraie garce, hélas très influente dans le monde parisien, celui de la mode, de la finance et de la politique.

Au son de sa voix, Philip blêmit.

Fidèle à elle-même, Marie profita de sa consternation :

— Depuis quand cela dure-t-il, Philip ? Depuis l'enterrement d'Ève ? Cela fait tout de même six mois, six longs mois…

— Sept, rectifia Philip.

— Tant que cela ! Eh bien, je comprends que vous ayez eu envie de vous consoler, tous les deux.

Elle se tourna vers Béatrix avec un petit sourire pincé, et son regard rusé et méprisant la détailla comme s'il pouvait scruter chaque centimètre de son corps à travers sa robe à fleurs toute simple.

— Quant à toi, Béatrix, tu as l'air… en pleine santé, comme toujours.

— Merci, répliqua Béatrix en essayant de garder un ton neutre. J'espère que tu n'as pas été malade. Tu parais avoir perdu du poids.

Philip toussa dans sa serviette. Les lèvres fines de Marie s'ouvrirent dans une vaine tentative de réponse, puis se refermèrent. Elle était tellement habituée à ce que sa minceur soit une source d'envie que la remarque de Béa lui avait coupé le sifflet.

Elle reporta toutefois son attention sur Philip et lui pressa l'épaule avec une certaine familiarité.

— Tu devrais venir nous voir, un de ces jours. L'autre soir, Gustave me disait justement que cela faisait longtemps que tu n'étais pas venu dîner, minauda-t-elle en lui caressant l'épaule de manière suggestive.

Ses ongles étaient épais et d'un rouge flamboyant, comme pour faire oublier les marques de l'âge sur le dos de ses mains. Marie n'était pas le genre de femme à accepter l'âge avec philosophie. De toutes les amies d'Ève, elle était la seule à n'avoir jamais pu réprimer la jalousie que lui inspirait sa relation avec Philip. Bien sûr, Ève s'était fait un plaisir d'entretenir cette réaction. Susciter l'envie autour d'elle avait tenu une large part dans le plaisir que lui avait procuré ce mariage avec un homme plus jeune.

La façon dont Marie le touchait hérissait Béatrix. Cette vieille chouette s'imaginait sans doute que maintenant qu'Ève n'était plus de ce monde, Philip pouvait être à elle. Et le fait de les avoir vus s'embrasser quelques minutes plus tôt ne semblait pas la décourager. Peut-être s'imaginait-elle qu'en y mettant le prix, elle l'attirerait dans son lit.

Mais Philip n'était pas à vendre et ne l'avait jamais été. Il n'était pas un trophée. Ce n'était pas pour sa beauté que Béatrix était tombée amoureuse de lui, mais pour l'homme qu'il était, à l'intérieur.

Elle posa une main sur la sienne.

— Je suis sûre que Philip sera heureux de vous emmener dîner, Gustave et toi. Ton mari sera certainement très intéressé par les derniers développements de *Meilleurs Amis*.

Malgré l'air conditionné, Philip transpirait quand ils arrivèrent dans leur suite. L'épaisse moquette couleur champagne ou les moulures dorées du plafond n'exercèrent aucun effet apaisant sur lui. Il marcha droit vers le bar et se servit un Glenlivet. Le but. S'en servit un second qu'il avala après s'être débarrassé de sa veste et de sa cravate. Il voulait oublier les serres que cet oiseau de mauvais augure avait refermées sur son épaule, et ce n'était pas facile.

Marie d'Ardennes avait tenté plus d'une fois de le séduire, et il avait toujours réussi à la décourager. Du vivant d'Ève, elle n'avait pas osé lui faire des avances trop manifestes, mais maintenant... Il but une nouvelle gorgée de whisky et s'efforça de se calmer. Tout irait bien. Gustave n'était pas idiot. Il n'allait pas lui bloquer les crédits sous prétexte qu'il refusait de coucher avec sa femme.

À moins que Marie ne donne à son mari d'autres raisons de douter de lui. Qu'elle lui fasse croire, par exemple, que sa relation avec Béa entrait dans une sorte de complot lié à leurs affaires.

Ou à moins – et cette perspective le fit tressaillir – qu'elle ne découvre la véritable raison de son voyage à Rome…

— Eh ! lança Béa en surgissant derrière lui et en l'entourant de ses bras.

Inquiète, elle le fit pivoter vers elle et commença à le déshabiller.

— Je suis désolée qu'elle nous ait surpris, Philip. C'est terrible, mais nous trouverons un moyen de réduire les dégâts.

— Je ne veux pas réduire les dégâts. Pas s'il s'agit de mentir au sujet de ce que je ressens pour toi.

— Ce n'est pas ce que je suggérais, mais peut-être…

— Non, l'interrompit-il en couvrant ses mains des siennes. Je ne veux pas cacher notre relation. Les gens n'auront qu'à s'y faire, c'est tout.

— Bon, dit-elle simplement avant de s'éloigner et de se laisser tomber sur le canapé, les sourcils froncés.

Il acheva d'enlever sa chemise et la vit rougir en contemplant son torse musclé. Il s'assit près d'elle pour l'attirer contre lui.

— Ne te tracasse pas, nous ne laisserons pas cette vipère gâcher notre nuit.

— J'aimerais seulement trouver un moyen de l'empêcher de nous nuire.

— Pff… Le seul moyen de neutraliser Marie d'Ardennes serait de la baiser dans les règles de l'art, j'en ai peur.

Béa se mit à rire doucement.

— Ce serait un peu comme coucher avec Cruella.

— Un peu, et crois-moi, je ne suis pas vraiment partant…

Elle frotta son nez dans les poils de son torse.
— Et pour quoi serais-tu partant, alors, Philip ?
Ces simples mots firent durcir son sexe. Il lui prit la main, la posa sur son érection et répondit :
— Pour te montrer combien je t'aime.
Le regard de Béa s'éclaira et il songea qu'il ne se lasserait jamais de voir apparaître cette lumière dans ses yeux.
— Je suis partante aussi.
Sa réponse alluma en lui un vrai brasier.
— Répète-moi ça.
Elle le lui répéta de nombreuses fois avant que le jour se lève, timidement, plaisamment, passionnément. D'une voix rauque ou dans un murmure. En enroulant ses bras et ses jambes autour de lui. Et chaque fois, les mots agissaient sur lui comme un élixir divin.
Durant cette nuit de bonheur, il ignora le précipice au bord duquel ils se tenaient, lui, le travail qu'il avait accompli, et tous ceux qui œuvraient avec lui.

Assis à son bureau, Simon lisait un long rapport juridique. Depuis quelques minutes, il se retenait pour ne pas casser quelque chose. Le magasin de La Nouvelle-Orléans faisait l'objet d'une plainte pour discrimination à l'embauche. Il savait que les charges n'étaient fondées sur rien. Son père et lui n'avaient jamais toléré le sectarisme. Au contraire, Graves Department Stores avait été parmi les premiers à promouvoir les minorités ou les femmes aux postes clés. L'égalité était une notion essentielle aux yeux de Simon, et ceux qui travaillaient avec lui le savaient.
Ses avocats lui conseillaient de trouver une solution à l'amiable.
Cette seule suggestion l'horripilait. À quoi servait un avocat incapable de se battre ? de le défendre ?

S'imaginaient-ils qu'il se souciait de ce que cela lui coûterait de blanchir le nom des Graves ?

Il saisit un presse-papiers, prêt à le jeter sur le mur, mais ses yeux tombèrent sur la photo de son père. Simon, semblait-il lui dire avec douceur, c'est à toi de créer une atmosphère où tes employés puissent se comporter dignement. Ce n'est pas en perdant le contrôle de toi que tu y parviendras.

C'était l'une des premières leçons que Howard lui avait données. L'orphelinat avait laissé beaucoup de colère en lui. À moins qu'il ne soit né avec ? Parce que, malgré l'amour dont Tess et Howard l'avaient entouré, il n'avait jamais réussi à se débarrasser de cette colère. Ils lui avaient toutefois appris à garder son sang-froid.

Simon tenta de se détendre en poussant un long soupir. Avec un calme délibéré, il sortit un bloc de l'un des tiroirs et entreprit de noter plusieurs points dont il voulait discuter avec ses avocats. Il leur demanderait notamment comment ils comptaient le défendre. Ensuite, il déciderait si des têtes devaient tomber.

Il en était au point numéro 4 quand la tête d'Andrew apparut dans l'encadrement de la porte.

— Quoi ? lâcha Simon, sa mauvaise humeur reprenant le dessus.

— Mme Winters m'a parlé de cette plainte, alors j'ai pensé qu'une bonne nouvelle te ferait du bien.

Simon soupira.

— Tu as eu raison. Entre.

Andrew bondit littéralement dans la pièce.

— On les a.

— Qui donc ? demanda Simon, devinant la réponse. Son estomac se noua.

— *Meilleurs Amis* ! triompha Andrew. Mon contact m'a dit que la banque leur coupait les crédits. Apparemment, l'un de leurs fournisseurs s'est inquiété à propos de leurs problèmes de trésorerie. La nouvelle s'est répandue et voilà : aucun organisme en Europe ne leur prêtera de l'argent.

— Et ailleurs ?

— Ils n'ont pas les contacts nécessaires. Ils sont fichus ! conclut Andrew en se frottant les mains.

La pointe de son crayon se brisa avec un bruit sec, et Simon s'aperçut qu'il avait inconsciemment tracé un L. Seigneur ! Comment allait-il expliquer ça à Lela ?

Andrew fronça les sourcils.

— Que se passe-t-il ? J'imaginais que tu serais heureux.

— Je suis heureux, dit Simon qui ne l'était pas du tout. Ce n'est pas toi qui as manigancé ça, n'est-ce pas ?

Andrew eut un mouvement d'arrêt.

— Non ! Philip Carmichael s'est tiré une balle dans le pied, c'est tout. Ce type n'est pas une bête politique, et sans cette qualité, tu ne survis pas à Paris.

— D'accord. Je posais la question, c'est tout.

— Tu ne voulais pas de coups bas, tu l'as dit. Tu voulais gagner proprement.

Et si ce n'était pas le cas ? se demanda Simon, mais il était trop tard pour se poser ce genre de questions. Quelque part à Paris, une affaire était en train de couler et si Simon n'intervenait pas, quelqu'un d'autre le ferait. Ou personne. D'une façon ou d'une autre, il serait moralement responsable.

Il regarda ses mains, se souvenant de la dernière fois où elles avaient caressé le corps mince et racé de Lela. Jamais il n'avait ressenti pour une femme ce qu'il ressentait pour elle. Elle était devenue une part de sa vie, quelqu'un avec qui il voulait tout partager. Il l'aimait.

Les lèvres serrées, il songea que Lela réagirait mal, mais il ne renoncerait pas à elle sans se battre. Il ne renoncerait pas à elle du tout.

Inconsciemment, il donna un coup de poing sur le bureau et tendit la main.

— Donne-moi le dossier. Je veux mener les négociations moi-même.

Andrew hocha la tête.

— Je ne dirai pas à Lela que tu es au courant. Que tu avais déjà ce projet de rachat avant de la rencontrer.

— Je n'ai jamais pensé que tu pourrais le faire.

Andrew eut un sourire incertain, hocha la tête puis sortit.

13

Philip se tenait devant la baie vitrée et regardait en bas, depuis le vingtième étage. Des employés de bureau se faufilaient entre les tours de La Défense, passant de l'ombre à la lumière. Ils semblaient petits et fragiles, comme lui.

Marie d'Ardennes avait parlé aux Amalfi.

Toute la matinée, il s'était battu pour trouver un financement alternatif, sans résultat. Le climat professionnel avait changé dernièrement mais à Paris, les affaires continuaient à rouler comme un mécanisme bien huilé. Hélas, ce n'était pas vrai en ce qui le concernait. Les bruits que Marie avait fait courir sur son compte avaient ruiné toute sa crédibilité. Ève aurait sans nul doute trouvé la parade, mais Philip ne jouissait pas de son influence, et il le savait depuis le début.

Ses tentatives pour s'en sortir l'avaient tellement épuisé qu'il chancela et dut se retenir à la vitre.

Un poids dans sa poitrine l'oppressait, et il s'était rongé les ongles jusqu'au sang pendant ses coups de téléphone restés sans effet.

La catastrophe était encore pire que son échec lors de la présentation de ses créations, pire que l'humiliation que la presse lui avait fait endurer à la mort d'Evangeline. De plus, il avait été le seul à souffrir alors que cette fois, il entraînait une entreprise dans sa chute et le personnel qui travaillait pour lui. Tout cela parce qu'il avait été imprudent, parce qu'il n'avait jamais inspiré confiance, comme sa femme savait si bien le faire. La vérité, c'est qu'il était trop faible. Même maintenant, s'il avait pu remonter le temps et ne pas partir à Rome avec Béa, il n'en aurait rien fait. L'amour comptait plus que les affaires pour lui. Les gens plus que la fierté.

Il redoutait terriblement de devoir informer Béa de la situation. Elle se sentirait coupable et se demanderait si elle valait la perte qu'il subissait. De plus, elle s'inquiéterait pour lui, ce qu'il ne souhaitait pour rien au monde. En cet instant, il se moquait éperdument de lui-même. Ses employés constituaient sa priorité. Peut-être pourrait-il vendre certains avoirs, ou bien le nom de *Meilleurs Amis*. Il était prêt à tout pour essayer de les sauver, de gagner du temps tout au moins.

Il marcha jusqu'à son bureau dans l'intention de rappeler son comptable, mais ce fut le numéro de Béa qui lui vint à l'esprit. Malgré les mauvaises nouvelles, il avait besoin d'entendre sa voix. C'était cela, l'amour, songea-t-il. Partager le bon comme le mauvais.

Il eut un sourire triste.

Il sursauta au son de l'interphone.

— Un appel des États-Unis, monsieur, annonça sa secrétaire. Un certain M. Simon Graves.

Simon Graves. Où avait-il déjà entendu ce nom ? Ce n'était pas un banquier, ni l'un de ses fournisseurs…

Haussant les épaules, il décrocha.

Lela était en train de laver le sol de la cuisine lorsque Simon arriva. Son cœur s'était mis à battre plus vite quand elle avait entendu le bruit de l'ascenseur. Au bruit des pas, à leur vigueur, elle avait deviné que c'était lui : l'homme qu'elle aimait. Ces mots l'emplissaient d'une sensation de chaleur très douce, faisant courir en elle une onde d'excitation et de bien-être.

Toujours à genoux, elle lança :

— Je n'aurais pas dû te donner une clé, je le savais.

Sa tenue et sa position qui n'avaient rien de glamour ne semblaient pas l'indisposer. Il s'agenouilla derrière elle, l'enveloppa de son corps et fit semblant de lui mordre la nuque. Mais la chose dure qu'elle sentait contre ses reins prouvait qu'il ne plaisantait pas tout à fait.

— Tu as les plus adorables fesses que j'aie jamais vues, dit-il tout en se frottant contre elle.

Il referma les bras autour d'elle et la sensation de sa veste de costume lui parut à la fois incongrue et excitante.

— Je ne t'attendais pas ce soir, répliqua-t-elle d'une voix rauque.

— Je partais à l'aéroport, mais je voulais te parler d'abord.

— Me parler ?

Il se mit à onduler contre elle au rythme de l'amour.

— Peut-être pas tout de suite. Je suis trop distrait.

Lela réprima un éclat de rire.

— Est-ce que cela risque de te faire rater ton avion ?

— Je ne sais pas.

Il glissa les mains sous son short ample, dans sa toison pubienne, puis fit descendre le short sur ses hanches. Lela voulut l'ôter, mais il l'en empêcha.

— Ne bouge pas, dit-il en respirant fort. Je vais le couper.

Il attrapa les ciseaux de cuisine dans le tiroir et découpa non seulement le short, mais aussi son string. Ses doigts tremblaient et elle comprit qu'il réalisait l'un de ses fantasmes. Excitée, elle frémit au contact des lames, au crissement du tissu, imaginant ce qu'il découvrait au fur et à mesure. Son silence, sa concentration la galvanisaient.

Dès qu'il eut fini, il la caressa lentement de ses mains chaudes et un peu moites, tout en se déshabillant à son tour.

— Ne bouge pas, répéta-t-il comme elle allait tourner la tête. Ne me regarde pas.

— J'aime te regarder. J'aime voir ton sexe quand il devient énorme. J'aime le voir grossir.

— Non, grogna-t-il en se blottissant contre elle, la couvrant de son torse velu, l'entourant de ses bras puissants, de ses cuisses, lui communiquant les frissons qui le traversaient. Tu n'as pas le droit de me regarder, seulement de me sentir.

— Je te sens magnifique, fort et chaud...

Il pressa son érection entre ses fesses et se frotta dans ce sillon de feu. C'était d'un érotisme inouï. Étourdie, Lela crut qu'elle allait se dissoudre.

En même temps, il glissa les doigts entre les lèvres de son sexe et elle se cambra vers lui, exaltée.

— Tu es trempée, murmura-t-il contre le point si sensible au dos de son oreille.

Et il immisça deux doigts en elle tout en appuyant son pouce contre son clitoris. Elle gémit en s'ouvrant à lui.

— Je suis trempée parce que j'ai envie de toi.

— C'est difficile à croire que tu puisses avoir envie d'un homme comme moi.

— Tu peux me croire, pourtant. Tu me rends dingue.

Il se mit à respirer plus vite.

— Écarte les jambes.

Elle lui obéit tandis qu'il continuait de se frotter contre elle tout en la caressant.

— Encore, grogna-t-il. Cambre-toi encore.

Et il retira ses doigts pour la pénétrer lentement. Voluptueusement. Si loin qu'elle eut l'impression qu'il touchait son cœur. Elle s'accrocha au bras qui la soutenait sous les seins et il lui embrassa l'épaule.

— Je t'aime, dit-il en la serrant contre lui. Ne l'oublie jamais. Quoi qu'il arrive.

— Quoi qu'il arrive.

Il se mit à aller et venir en elle, de plus en plus fort.

— Oui… ouvre-toi encore… oui… Oh, c'est bon…

Sa voix altérée, ses mouvements saccadés étaient irrésistibles. Elle s'appuyait de toutes ses forces sur le sol pour résister à cet assaut sauvage et, ce faisant, remarqua qu'elle n'avait pas ôté ses gants en caoutchouc jaune. Mais cela ne semblait pas gêner Simon.

— Oui… Oui… criait-il maintenant, lui propageant sa fougue.

C'était vertigineux de l'entendre perdre le contrôle. Elle le voyait dans la vitre du four. Son visage contracté par le plaisir était méconnaissable. Il ne se rendait pas compte qu'elle le regardait. Quand il ferma les yeux en serrant les dents, amplifiant son va-et-vient ravageur, elle glissa une main sous elle et passa un doigt sous le pénis de Simon, appuyant un peu sur cette zone ultrasensible en même temps qu'il se déhanchait.

— Lela ! s'exclama-t-il.

Ses doigts se concentrèrent sur son clitoris, lui imprimant des mouvements terriblement érotiques, irrésistibles. Il était au bord. Elle aussi. Alors elle contracta les muscles de son vagin et en quelques à-coups, il céda à l'orgasme en poussant un long grognement.

— Lela, répéta-t-il en continuant de la caresser pour qu'elle jouisse à son tour.

Son sexe était toujours en elle, et les spasmes de plaisir qu'elle lui communiquait le firent trembler.

Épuisée, elle s'allongea sur le carrelage, Simon sur elle.

Au bout d'un moment, elle demanda :

— Je ne m'en plains pas, loin de là, mais qu'est-ce qui t'amenait ?

— Euh… dit-il en détournant les yeux.

— Tu rougis !

Elle se dégagea et lui pinça le menton.

— Une bonne de la famille t'aurait-elle séduit autrefois sur le sol de la cuisine ?

Il se releva à son tour, toujours aussi rouge.

— Non, nous n'avions pas de bonne à l'époque où j'ai trouvé un vrai foyer.

Elle sentit sa gorge se nouer en imaginant le petit garçon qu'il avait été.

— C'est moi ton foyer, maintenant, murmura-t-elle.

Ses yeux sombres devinrent presque noirs. Il ouvrit les bras et elle s'y blottit aussitôt. Ils restèrent un long moment ainsi, serrés l'un contre l'autre.

— Je veux être ton foyer, moi aussi, dit-il tandis que les larmes de Lela coulaient sur ses joues.

Tout à coup, il jura.

— Bon sang, je n'ai pas vu l'heure ! Je dois partir. Nous… nous parlerons à mon retour.

Il semblait si sérieux que Lela retint son souffle. Elle n'osait imaginer ce qu'il avait à lui dire, craignant que ses espoirs soient déçus. Alors elle l'aida à se rhabiller, lui passant ses vêtements, rectifiant son nœud de cravate. Elle adorait le sentiment de propriété que lui procuraient ces gestes simples.

Ils s'arrêtèrent devant la porte et il lui caressa tendrement les cheveux.

— Souviens-toi de ce que je t'ai dit.

Elle hocha la tête sans très bien savoir à quoi il faisait allusion. Tout à coup, elle ne voulait plus qu'il parte. Ses mains avaient agrippé les revers de sa veste pour le retenir.

— Je t'aime, Lela, dit-il en scrutant son visage comme pour l'imprimer dans son esprit. N'oublie pas que je t'aime.

— Moi aussi, je t'aime, répondit-elle timidement.

Et le sourire lumineux de Simon chassa ses craintes. Elle le lâcha.

Béa pleurait si fort que Lela avait du mal à comprendre ce qu'elle lui disait. Jamais elle ne l'avait entendue sangloter ainsi.

— Calme-toi, ordonna-t-elle en agrippant le téléphone. Dis-moi ce qui ne va pas.

— C'est Ph… Philip…

— Philip ? Il va bien ? fit-elle en se demandant s'il n'avait pas trouvé une nouvelle petite amie.

Parce que si c'était le cas, elle l'étranglerait de ses propres mains.

— Oui, il va bien. Enfin, si on veut… C'est l'entreprise… Quelqu'un nous a vus ensemble à Rome. Une amie de ma mère… Elle nous a vus en train de… nous embrasser et elle a diffusé un tas de rumeurs… totalement fausses. Philip a accompli un travail fantastique pour *Meilleurs Amis*, mais… maintenant, quelqu'un est en train d'essayer de nous racheter ! Si je le tenais, je crois que je lui enfoncerais cette lame dans la gorge !

— Quelle lame ?

— Celle dont je me sers pour mes tableaux. C'est l'homme qui m'avait appelée des États-Unis pour m'acheter la peinture. Le patron d'Andrew ! Il devait mijoter ça depuis longtemps, ce cher Andrew.

Lela dut s'asseoir sur l'accoudoir du canapé car ses jambes se dérobaient. Elle regarda le DVD que Simon avait loué la semaine dernière, et qu'elle s'apprêtait à rendre à la boutique.

— Tu veux dire que Simon Graves essaie d'acheter *Meilleurs Amis* ?

— Oui, Simon Graves. Tous des salauds ! Le banquier surtout. Il nous accordait toujours un léger découvert que nous avons toujours remboursé sans problème. Et la boutique de Pékin est en progression… Ce n'est pas juste, Lela. Philip a tellement travaillé, et il va tout perdre uniquement parce qu'il est tombé amoureux de moi !

Malgré la chaleur de cette soirée, Lela frissonnait. Elle se souvint de l'aide que Simon lui avait apportée. Et aussi de cette nuit où elle avait consulté son portable sur le lit, et où elle lui avait montré le budget annuel de *Meilleurs Amis*. Il le lui avait patiemment expliqué, ligne par ligne. Pas étonnant : il avait déjà tout prévu ! Une brusque migraine lui martelait le crâne, et elle dut faire un effort pour se concentrer sur ce que disait Béa.

— Je me demande ce que nous avons pu révéler, le soir où Andrew est venu dîner. Qu'avons-nous pu dire pour qu'il comprenne que nous étions vulnérables ?

En plus de la migraine, Lela avait la nausée à présent.

— J'espère que tu ne penses pas que je…

— Non ! s'écria Béa. Bien sûr que non. Comment aurais-tu pu savoir ce que manigançait Andrew ? Il s'est servi de nous.

Lela ferma les yeux. Andrew n'était pas le seul, et pas le pire non plus. Comment n'avait-elle rien vu venir, elle, la mieux placée de tous ? Comment avait-elle pu être aussi crédule ? Elle avait mis en danger sa meilleure amie, et pour quoi ? Pour une espèce de gangster aux dents longues, qui voulait que le monde entier lui appartienne.

Elle n'avait plus qu'à prier pour que Béa n'apprenne jamais combien elle s'était montrée indiscrète. Son amie ne serait pas aussi prompte à l'innocenter, et que lui resterait-il alors ?

Rien, pensa-t-elle en secouant la tête avec désespoir. Elle se retrouverait seule sans personne pour se soucier d'elle.

Mais ce n'était pas le moment de s'apitoyer sur son sort. Béa avait besoin d'elle.

— Je viens, décida-t-elle.

— Quoi ?

— Je prends le prochain vol pour Paris.

— Oh, Lela... dit Béa en se remettant à pleurer. Je serais tellement heureuse de te voir.

Pour une fois, la gratitude de son amie n'eut aucun effet sur l'humeur de Lela. Elle était trop anéantie.

Je survivrai, se promit-elle en raccrochant.

Et je ne ferai plus jamais confiance à un homme.

Philip n'avait pas voulu recevoir les hommes de Graves Department Stores dans son bureau. Il préféra la salle de conférences, qu'il utilisait rarement. Ève aimait cette pièce avec ses murs ornementés qui rappelaient ceux d'une salle démodée, parés de moulures bleu et or. Instinctivement, il chercha son regard froid dans ce bleu-là.

Si tu m'as aimée un jour, aide-moi aujourd'hui, pria-t-il en secret. Aide-moi à sauver tout ce que je pourrai de ton entreprise.

L'espace d'une seconde, il eut l'impression qu'un souffle l'effleurait... Celui des regrets, ou les excuses d'un fantôme... Ses poils se hérissèrent, puis l'étrange sensation disparut. Mais le bloc de glace qui emprisonnait son cœur était bien réel.

Simon Graves et ses collaborateurs entrèrent. Dès qu'il fut dans la pièce, sa présence imposante éclipsa tout le reste. Il était grand, charpenté, avec un visage dur et des yeux vifs. Il parla peu, laissant ses avocats s'exprimer, mais il observa attentivement Philip qui se demandait si cet Américain voulait l'impressionner ou s'il prenait simplement sa mesure.

Mais ses intentions importaient peu. Philip savait comment faire de son flegme britannique une carapace. Il eut le plaisir de ne pas perdre contenance sous le regard attentif de son ennemi.

— Vous n'êtes pas en position d'exiger de telles concessions, déclara Andrew, le seul visage familier parmi ces étrangers. Si vous ne trouvez pas très vite un acheteur, *Meilleurs Amis* devra cesser ses activités.

Philip se souvint que cet homme avait couché avec Béa, et son expression se glaça davantage. Il attendit qu'Andrew rougisse sous l'impact de son regard.

— Votre *patron*, dit-il en appuyant sur le mot, a la réputation d'apprécier la compétence. Mes employés sont plus que compétents, ce sont des spécialistes. Ils connaissent les finesses du commerce haut de gamme et du luxe, chose que ceux de Graves, malgré tout leur savoir, ignorent. Si vous voulez intégrer *Meilleurs Amis* dans votre société, vous aurez besoin d'eux.

— Mais insister pour que nous ne fermions pas des magasins déficitaires...

— Pendant un an. Et je précise que seule la boutique de New York perd de l'argent, mais vous ne pouvez la fermer car nous avons besoin d'être présents à Manhattan si nous voulons être pris au sérieux.

— Si vous êtes aussi capable, pourquoi êtes-vous au bord de la faillite ?

Tel le souverain d'une cour féodale, Simon leva la main pour réduire Andrew au silence. Celui-ci se tassa dans son fauteuil, jetant un regard presque implorant à son patron. Un regard que ce dernier ignora. Au lieu d'abonder dans son sens, il examina la liste de requêtes que les avocats de Philip avaient posée devant lui.

Puis il sourit, et son expression se métamorphosa totalement. Philip put alors entrevoir le petit garçon espiègle qu'il avait dû être.

— Accordez-leur ce qu'ils demandent, décida-t-il alors, sans quitter Philip des yeux.

Un concert de protestations accueillit ce choix, celles d'Andrew étant les plus véhémentes de toutes. Simon se leva.

— Veille à ce que tout soit réglé. Je veux que le contrat soit établi à la fin de la journée.

La réticence d'Andrew était manifeste mais il baissa la tête, tel un courtisan remis à sa place.

— Très bien, dit-il.

Simon lui donna une claque dans le dos et se tourna vers Philip.

— Si nous allions prendre un verre pendant que ces messieurs se chamaillent ?

Philip eut l'impression que l'on venait de tirer d'un coup sec le tapis sur lequel il se tenait. Il dut faire un effort pour ne pas chanceler.

— Nous pouvons aller dans mon bureau.

— Parfait, lança Simon Graves avec un sourire lumineux.

Philip Carmichael n'était pas tel que Simon l'avait imaginé. Comme Andrew l'avait dit, ce n'était pas un requin mais il était capable de se battre quand il était acculé. Et il inspirait des sentiments protecteurs inattendus. Était-ce à cause de ses yeux gris tristes ou de son air d'Anglais courageux pris au piège ? Quoi qu'il en soit, tous les employés qu'ils croisèrent, du responsable de la sécurité à la secrétaire en passant par les cadres, regardaient Simon comme étant le diable incarné venu renverser leur prince bien-aimé.

Simon accepta un whisky de sa cuvée privée et s'installa dans un fauteuil. Philip se réfugia derrière son bureau.

— J'aimerais vous garder, annonça Simon d'emblée, et la façon dont son interlocuteur resta bouche bée faillit le faire sourire. Vous ne seriez vraiment pas facile à remplacer, et je ne vois pas pourquoi je le ferais. Vous avez commis quelques erreurs, mais vous avez accompli du bon travail. De plus, je ne pense pas que vous soyez du genre à donner des coups de poignard dans le dos.

Il but une gorgée d'alcool et se permit de sourire, cette fois.

— J'ai étudié votre parcours, monsieur Carmichael. Vous travaillez mieux avec quelqu'un au-dessus de vous. Je ne suis peut-être pas un barracuda comme l'était votre femme, mais je suis cent fois plus puissant et il me semble qu'une alliance entre nous serait très fructueuse. Vous continuerez à superviser les magasins *Meilleurs Amis*, tout en veillant à leur intégration dans Graves Department Stores.

Philip avait fermé la bouche, mais ses yeux cillaient à présent.

— Je vais probablement épouser ma belle-fille.

Il avait lancé cela comme un défi. Sur ses gardes, Simon posa lentement son verre sur le bureau.

— J'ai entendu dire qu'elle est charmante.

— Très charmante, mais notre mariage risque de déchaîner la fureur des médias. Je ne pense pas que c'est ce que vous espériez, quand vous avez fait cette offre.

Il avait raison. Simon espérait au contraire une réaction positive de la presse, susceptible de promouvoir le nom de Graves. Il observa l'homme capable de menacer cette ascension, remarqua ses ongles rongés, la ligne obstinée de sa mâchoire et, plus particulièrement, la fermeté de son regard gris pâle. Un regard qui semblait plus âgé que son beau visage et lui conférait sans doute un charme supplémentaire.

Il se rappela soudain que Lela connaissait cet homme. Elle avait déjà posé les yeux sur cette figure d'ange triste, d'une beauté rare, et pourtant c'est de lui qu'elle était tombée amoureuse. Il se demanda alors quelle sorte de scandale il était prêt à affronter pour elle. N'importe lequel, songea-t-il.

— Vous épouserez qui vous voulez, cela vous regarde, déclara-t-il. Si vous travaillez pour moi, je vous soutiendrai à cent pour cent.

Un lent sourire se dessina sur les lèvres de Philip.

— Si je travaille pour vous, je veux deux fois le salaire d'Andrew.

Simon éclata de rire. Qui avait dit que l'Anglais était un faible ?

Elles finirent une bouteille de bourgogne et en ouvrirent une autre. Plus l'alcool lui montait à la tête, plus Béatrix était en colère.

— C'est inadmissible ! répéta-t-elle pour la énième fois, avant de poser son verre sur la table basse en marbre qu'elle avait marchandée pour le tiers du prix aux puces de Saint-Ouen.

C'était il y a six mois, à une époque où elle était fière de son indépendance et où elle avait décidé de tirer un trait sur ses sentiments pour Philip.

Les coudes sur les genoux, elle fixa la surface frémissante du vin. La vie se déroulait rarement comme on l'avait prévu.

— Et le pire, c'est que c'est à cause de moi, ajouta-t-elle en s'essuyant le nez. Il a tout perdu à cause de ce qu'il éprouve pour moi.

Lela lui frotta le dos comme elle le faisait autrefois quand elle échouait à un examen, ou quand un petit ami l'avait laissé tomber. Comme ces blessures paraissaient infimes, comparées à celle qu'elle endurait aujourd'hui…

— Ce n'est pas ta faute, Béa. C'est celle de cette femme, cette Marie d'Ardennes. Et peut-être celle de Philip, qui n'est pas impitoyable comme l'était ta mère. Ce qui est plutôt une bonne chose, à mon avis.

— Comment cela pourrait-il être une bonne chose ? Philip est ruiné !

— Il n'est pas ruiné, Béa. Il a perdu un travail. Qu'il en ait conscience ou pas, je crois qu'il le souhaitait. Il t'a choisie, toi, plutôt que son job.

Ces paroles n'eurent pas l'effet escompté. Béatrix se mit à sangloter de nouveau et se blottit contre Lela, secouée de hoquets.

— Et si je n'en valais pas la peine ? Et s'il finit un jour par le regretter ?

— Oh, Béa... dit simplement Lela en lui caressant les cheveux, puis en l'embrassant tendrement, attendant qu'elle se calme.

Parfois, il n'y avait pas mieux que les baisers pour consoler et pour prouver à quelqu'un qu'il est digne d'amour.

Mais Béa n'avait pas besoin de ces preuves. Philip lui faisait confiance, elle n'en doutait plus. Elle se dégagea doucement des bras de Lela.

Elle s'aperçut alors que son amie appuyait son poing contre sa bouche, comme pour s'empêcher de pleurer elle aussi. Mais oui ! Ses yeux étaient tout rouges !

— Je ne sais pas si tu as fait le rapprochement, expliqua Lela, mais l'homme que je voyais à New York, c'est Simon Graves. J'ignorais qu'il était derrière tout ça et je n'ai peut-être pas été aussi prudente que j'aurais dû l'être. Je crois qu'il s'est servi de moi pour obtenir des informations sur *Meilleurs Amis*... Béa, je suis désolée. Notre amitié compte tellement pour moi. Si je la perdais... je crois que j'en mourrais.

Béatrix comprit alors à quel point elle était importante pour Lela. Elle referma les mains en coupe autour de son visage.

— Tu ne me perdras pas, ne t'inquiète pas. Je resterai toujours ton amie.

Lela prit sa main et la serra entre les siennes.

— Il s'est moqué de moi, Béa. Je croyais vraiment qu'il m'aimait, mais...

— C'est peut-être le cas. Peut-être n'a-t-il pas trouvé un moyen de s'expliquer.

Lela secoua la tête.

— Il m'a menti. Je ne pourrai jamais plus lui faire confiance.

Béatrix ne l'avait jamais vue aussi pessimiste. Aussi abattue. Ce Simon Graves devait s'expliquer, c'était crucial.

Ce soir-là, Philip fit venir Béa dans son bureau pour lui exposer l'offre de Simon. Il se sentait intensément soulagé, même si des émotions tumultueuses l'agitaient encore.

— Ce n'est peut-être pas une mauvaise solution. Ce type me paraît droit.

— Pour un prédateur, tu veux dire ?

— Oui, admit-il. Je sais que cela exigera une grande capacité d'adaptation, mais je pense que c'est notre meilleure chance de préserver l'entreprise. Au moins, je serai là pour veiller sur nos employés.

Béatrix n'en doutait pas. Il avait toujours su défendre les autres bien mieux que lui-même. Près de lui, le petit cercle lumineux d'une lampe éclairait les papiers du contrat. En tant qu'associée, Béa devait les signer aussi.

— À toi de voir. Si tu veux annuler et essayer d'obtenir une meilleure offre, nous le ferons.

Elle lui sourit, touchée par sa délicatesse. Derrière lui, la fenêtre de son bureau était ouverte sur la nuit parisienne. Dans la semi-pénombre, ses cheveux brillaient comme de l'or. Il paraissait si jeune… peut-être encore plus jeune qu'elle.

— Tu ne peux pas te permettre de me laisser en juger, Philip. Imagine que ma décision soit néfaste ? Tu détiens toujours la majorité, ne l'oublie pas. C'est toi qui dirigeais *Meilleurs Amis*, et nous savons l'un comme l'autre qu'une offre plus intéressante est improbable.

Il regarda ses ongles d'un air maussade.

— Je ne veux pas te contraindre à céder ton héritage.

— Philip, dit-elle en posant sa main sur la sienne. C'est toi qui dois choisir. Tu as toute ma confiance.

Il voulut protester, mais elle ne lui en laissa pas le temps.

— Tu n'as pas demandé à Simon Graves de te garder. C'est lui qui te l'a proposé. Si tu acceptes de travailler pour lui, je te donne mon feu vert.

Philip se renversa dans son fauteuil et ferma les yeux. En l'observant, Béatrix comprit qu'elle venait de lui ôter un grand poids. Un poids qui lui pesait depuis des années. Il tourna sa main pour serrer la sienne.

— Cela ne me dérange pas de devenir son employé, dit-il, les yeux clos.

— Alors c'est d'accord. On vend.

Toutefois, avant cela, Béatrix avait la ferme intention de rencontrer le « prédateur » en question.

Elle s'habilla avec soin : son tailleur Balenciaga avec ses Ferragamo. Ses boucles étaient disciplinées dans un chignon stylisé, et elle s'était maquillée avec une légèreté subtile. À l'abri de cette « armure », elle traversa le hall de l'hôtel comme l'aurait fait sa mère. Telle une reine de la mode, une femme d'affaires. En un mot, une sirène. Tous les regards se posèrent sur elle, comme si les gens se demandaient qui elle était. L'effet était si facilement obtenu qu'elle faillit en rire. Le pouvoir appartenait à ceux qui agissaient comme s'ils étaient puissants.

Sa mère avait-elle découvert cette évidence ?

Peu importait. Béa était là parce que, comme Philip, elle avait l'intention de défendre bec et ongles ceux qu'elle aimait.

Elle sortit de l'ascenseur et s'engagea dans un couloir silencieux. Les numéros des portes étaient en cuivre. Elle frappa au 1217 et attendit que l'amant de sa meilleure amie apparaisse.

Il ne sembla pas surpris de la voir.

— Entrez, lui dit-il en ouvrant la porte en grand.

Une moquette grise immaculée formait avec les murs beiges une harmonie très douce. À part un ordinateur portable ouvert sur la table, la suite semblait inhabitée. Rien ne traînait, ni chaussette, ni paire de chaussures, ni objet personnel. Béa avait du mal à comprendre ce qui avait attiré Lela chez cet homme d'aspect morose. Quoique… sa démarche exprimait le pouvoir, le pouvoir contrôlé. Et son regard furtif dégageait une intensité troublante.

Il lui proposa un verre qu'elle refusa, et s'installa sur un divan de couleur pastel style Art déco pendant qu'elle déambulait dans la pièce.

— Je suppose que vous êtes venue me jauger, lança-t-il au bout d'un moment.

Il avait raison, bien sûr, mais elle se garda de l'admettre. Elle s'arrêta devant une reproduction vaguement impressionniste de la tour Eiffel.

— Philip m'a dit que vous aviez fait une offre généreuse.

Simon changea de position.

— Je n'étais pas d'humeur à me battre.

Elle se tourna vers lui pendant qu'il croisait ses jambes, découvrant un mollet recouvert de poils bruns. Une toison sombre apparaissait aussi dans l'échancrure de sa chemise. Cet homme respirait la virilité. Se serait-il servi de ce pouvoir pour subjuguer Lela ? Avant de lui briser le cœur ?

— Je veux racheter *The Big Sister,* déclara-t-elle.

Il haussa les sourcils.

— Le tableau qui est suspendu dans le bureau du directeur ?

— Oui.

Il sourit.

— Non.

— Non ?

— Non, répondit-il calmement. Ce tableau fait partie des atouts de *Meilleurs Amis* auxquels je tiens particulièrement. Mais si cela peut vous rassurer, votre fiancé a déjà essayé de l'exclure de notre marché.

— Mon fiancé ?

Le sourire de Simon s'élargit.

— Il a mentionné qu'il avait l'intention de vous épouser.

Abasourdie, Béatrix se laissa tomber dans le fauteuil le plus proche. Ce fut seulement quand Simon vint extraire des feuillets de sous ses fesses qu'elle s'aperçut qu'elle était assise sur une pile de contrats.

— Désolé d'avoir gâché la surprise, dit-il d'une voix soudain très douce. Et aussi de vous rencontrer dans ces circonstances. J'attendais ce moment depuis longtemps, pas seulement parce que j'admire votre talent de peintre, mais parce qu'une personne qui vous est chère m'est aussi très chère.

Il s'était installé tout près d'elle, et elle comprit qu'il faisait allusion à Lela.

Mais était-il sincère ?

— Votre entreprise a besoin de moi, continua-t-il en posant une main chaude sur son bras. Je n'ai pas l'intention de vous mentir. Si vous me la vendez, *Meilleurs Amis* changera. Ce ne sera plus la société de votre grand-mère, de votre mère, ni même celle de Philip Carmichael. Elle deviendra plus importante, plus moderne, moins unique en son genre. Mais elle ne mourra pas. *Meilleurs Amis* vivra pendant encore cent ans, au moins.

La passion qu'elle percevait en lui la décida.

— Je ne vous vendrai pas mes parts, lâcha-t-elle, se réjouissant de le voir tressaillir. Je les échangerai contre des actions de Graves Department Stores.

Les épaules de Simon se détendirent et ses yeux brillèrent. Ils étaient vraiment le miroir de son âme. Rien d'autre en lui n'exprimait ses sentiments aussi profondément.

— Merci, dit-il en lui prenant les mains. J'apprécie la confiance que vous me témoignez.

Il semblait ne pas parler seulement d'affaires. Est-ce qu'il aimait Lela ? Espérait-il que Béatrix témoignerait en sa faveur auprès d'elle ? Avait-il seulement conscience que Lela était au courant de sa trahison ?

Attends, s'exhorta-t-elle avant que la question n'ait franchi la barrière de ses lèvres. Attends de voir comment il se conduit demain, et s'il en vaut la peine.

14

Simon rêvait de son père.

Ils étaient assis au fond de la vieille église de Setauket, l'église d'enfance de Simon. Une étrange luminescence vert et or flottait dans l'air, tels les rayons du soleil sur les eaux paresseuses d'une rivière.

L'église était décorée pour un mariage, mais elle était vide. Un tapis bleu lavande courait le long de l'allée centrale, et chaque prie-Dieu était orné de rubans de satin blanc et de perce-neige, la fleur préférée de Howard.

Howard Graves semblait avoir retrouvé une seconde jeunesse.

— Tu as fait ce qu'il fallait, lui disait-il. Quand tu vois un homme trébucher et que tu sais que nul autre que toi n'est mieux placé pour l'aider, eh bien, tu dois le faire. De plus, ta mère a toujours adoré les chaussures.

— Les chaussures ?

Un grand sourire fendit le visage du vieil homme.

— Je parie que tu ne t'es jamais douté que je connaissais ce vieil Amalfi. Ah, j'aurais bien aimé qu'il travaille pour Graves, mais je n'ai pas pu lutter contre Sophie Clouet.

Simon ne posa pas d'autres questions. Il se contentait d'apprécier la compagnie de son père. Il avait travaillé durement ces derniers temps et c'était agréable d'être assis là près de lui, tranquillement, épaule contre épaule.

— L'autel s'illumine, remarqua-t-il en montrant la lueur irisée dont l'intensité s'amplifiait lentement.

Son père hocha la tête.

— Un mariage va être célébré.

— Oui, dit Simon.

— Tu as intérêt à attraper la jarretière. Si tu la manques, ta mère ne te le pardonnera pas.

— Je ne le supporterais pas.

Ils restèrent silencieux encore un moment, puis son père se leva.

— Viens, suis-moi.

Ils remontèrent l'allée centrale qui paraissait interminablement longue. Mais Simon ne s'en souciait pas. Des particules de poussière scintillaient dans les rayons du soleil. L'air sentait l'orange et le vieux bois. Le tapis était doux sous ses pieds. Ses pieds nus, constata-t-il. Quand ils arrivèrent enfin au bout de l'allée, la lumière était si intense qu'ils se retrouvèrent prisonniers de son halo, comme dans une bulle.

— C'est beau, déclara son père en regardant autour de lui d'un air approbateur.

Simon effleura les perce-neige qui recouvraient l'autel. Leurs pétales étaient froids et humides, et il s'aperçut alors que la lumière provenait de ces fleurs.

— Je pensais qu'il était difficile de les conserver, murmura-t-il avec une sensation soudaine d'oppression.

Un pressentiment…

— Non, gémit-il.

Mais son père sourit, et son visage était tout argenté à la lueur des fleurs.

— Prends soin de ta mère. Et souviens-toi que je t'ai toujours aimé…

Simon se réveilla en sursaut et se retrouva assis dans le lit de l'hôtel. Ses joues étaient mouillées. Il les essuya en s'efforçant d'apaiser sa respiration.

Le jour se levait à peine. Il posa une main à côté de lui, là où Lela aurait dû se trouver si elle l'avait accompagné. S'il avait eu le courage de le lui demander. Les draps étaient froids et doux. Il regarda le téléphone, puis le réveil. Fit un rapide calcul. Il était trop tôt pour appeler New York.

Il appellerait son père tout de suite après la réunion. Et Lela, aussi. Il ne s'agissait que d'un rêve, mais si son subconscient lui avait envoyé un message, il faudrait qu'il soit idiot pour ne pas en tenir compte.

Une secrétaire toujours aussi peu amène les conduisit dans la salle de réunion où ils s'étaient rencontrés la veille. On leur proposa du café et des croissants, et ils eurent le temps d'admirer le décor étonnant. Le plafond décoré de dorures capta l'attention de Simon. En général, il aimait clore une affaire, mais aujourd'hui il n'avait qu'un seul souhait : rentrer chez lui.

Philip et sa belle-fille furent les derniers à arriver. Et... L'estomac de Philip se contracta quand il découvrit qui approchait derrière eux. Lela. Lela était là.

Elle savait.

Salaud, disait son regard accusateur.

Les mots susceptibles de la détromper étaient au bord de ses lèvres. Non, il ne s'était pas servi d'elle pour trahir ses amis, comme elle le croyait certainement. Ou pour leur faire du mal. Au contraire, *Meilleurs Amis* se porterait mieux grâce à ce rachat. Grâce à lui, la société survivrait.

Mais la table était entourée de comptables et d'avocats, et il ne put que l'implorer du regard. Elle l'ignora et s'assit près de Philip et de Béa, le plus loin possible de lui. Elle croisa les bras, l'air de dire : « Je suis avec eux, va au diable. »

Le contrôle de soi, la prudence qu'il avait mis des années à apprendre s'envolèrent dans un soupir, et il murmura :

— Lela.

D'une voix rauque. Nue. Tout le monde sauf elle le regarda avec surprise.

— Excusez-moi. Je ne voudrais pas retarder la réunion, mais il se trouve que Mlle Turner et moi nous connaissons. J'ai besoin de lui dire un mot en privé avant que nous commencions.

— Il y a cette pièce, suggéra Philip après une pause, en désignant une porte au fond.

Déjà, Simon traversait la salle. Il s'arrêta pour fixer Lela qui n'avait pas bougé, la prévenant du regard qu'il n'hésiterait pas à la mettre dans l'embarras si elle l'y contraignait.

Devant sa détermination, elle serra les dents et se leva.

— Ce sera bref, jeta-t-elle en passant devant lui.

— Comme tu voudras.

La pièce équipée d'une petite cuisine était minuscule. Une autre porte donnait dans le couloir. Simon actionna le loquet pour la fermer à clé et resta un instant le dos tourné.

— Je ne sais pas pourquoi tu penses que j'ai quelque chose à te dire, attaqua Lela.

— Tu peux te contenter d'écouter, si tu préfères.

Cette tentative d'humour fut un échec.

— Tu m'as menti, lança-t-elle le plus bas possible. Tu as prétendu que je te plaisais et pendant tout ce temps, tu projetais de t'emparer de l'entreprise de mon amie.

Il se retourna enfin et s'adossa à la porte. Lela dut lutter contre le sentiment de tendresse que lui inspirait son visage épuisé.

— Pendant tout ce temps ? Lela, tu ne peux être stupide au point de croire ça ! Notre rencontre est le fruit du hasard, ou presque. J'admets que j'ai été attiré dès le début, mais c'est toi qui as posé les règles. Quant à prétendre que tu me plaisais... j'ai parlé *d'amour,* rectifia-t-il, et je n'ai rien prétendu du tout.

— Si tu m'aimais, tu aurais dû me prévenir ! Tu n'aurais pas dû me laisser te donner des informations confidentielles sur *Meilleurs Amis*.

— Je ne t'ai rien dit parce que j'avais peur.

— Les hommes comme toi ne savent pas ce qu'est la peur.

Il la regarda comme s'il ne pouvait croire ce qu'il venait d'entendre. C'était pourtant la vérité. Elle s'apprêtait à le lui dire quand il attrapa son bras, l'amena contre lui et s'empara de sa bouche dans un baiser sans douceur. Comme elle demeurait inerte, il la força à ouvrir la bouche en la serrant contre lui.

Elle aurait pu lutter si son corps n'avait été aussi sensible à son contact. Au lieu de le repousser, elle lui saisit la taille en gémissant tandis qu'une flamme s'allumait en elle.

Il s'arc-bouta contre elle pour lui montrer la force de son érection.

— Tu le sens ? Dis-moi que c'est un mensonge, ça aussi, lui souffla-t-il au creux de l'oreille.

Son étreinte était devenue tendre, prévenante, comme s'il sentait à la fois sa reddition et sa colère. Il ne remportait certainement pas tous les jours des victoires aussi faciles.

Non, je ne veux plus être cette femme, se dit-elle en le repoussant de ses mains tremblantes.

— Cela ne prouve rien, rétorqua-t-elle. Ce n'est pas de sexe qu'il s'agit, Simon, mais de confiance. Tu m'as dit que tu m'aimais alors que tu t'apprêtais à prendre un avion pour faire ça. À cause de toi, j'ai failli perdre la seule amie que j'aie jamais eue. C'est une chose que je ne peux pas te pardonner.

Il eut un mouvement de recul, comme si elle l'avait giflé.

— Mais je t'aime !

— Non, dit-elle malgré les battements frénétiques de son cœur. Je n'y crois pas.

Il ignorait à quel point elle pouvait lui faire du mal, jusqu'au moment où il se retrouva seul dans cette petite pièce, pris de vertige, couvert de sueur. Bats-toi ou va-t'en, songea-t-il. Mais aucun de ces deux choix ne semblait viable.

Il regagna la salle de réunion dans une sorte de brouillard.

Incapable de se concentrer sur la discussion, il signa les papiers qu'Andrew posa devant lui. Lela occupait toutes ses pensées. Il devait absolument essayer de la convaincre, de lui faire comprendre.

Ce fut seulement à la fin de l'entrevue qu'il s'aperçut que Philip et Béa lui souriaient. Et la jeune femme avec une douceur particulière.

S'ils n'étaient pas en colère contre lui, pourquoi Lela l'était-elle ?

Parce qu'il l'avait trahie. Il n'avait qu'à s'en prendre à lui-même s'il l'avait perdue.

Misérable au-delà des mots, il regarda Philip Carmichael signer la dernière ligne du contrat avant de se lever avec une grâce de danseur. Une boucle blonde tomba sur son front racé, et Simon se dit que ce superbe jeune homme ne mentirait jamais à quelqu'un qu'il aimait.

— Puisque nous sommes à Paris et que ces négociations se sont révélées beaucoup plus agréables que je ne l'escomptais, je pense qu'il est temps d'ouvrir le champagne, déclara-t-il.

Il fut applaudi avec empressement, mais des coups frappés à la porte interrompirent le début des réjouissances. La secrétaire revêche entra dans la pièce avec un air préoccupé.

— Je suis désolée de vous interrompre, mais il y a un appel urgent pour M. Graves. Sur la ligne 3.

Simon n'attendit pas que Philip lui propose de le prendre dans son bureau. Les mains moites, il décrocha le combiné posé sur la table de conférences et appuya sur la touche qui clignotait.

— Oui ? dit-il, la gorge affreusement sèche.

C'était sa mère au bout du fil. Il ferma les yeux, sachant qu'elle allait lui annoncer la nouvelle qu'il redoutait tant.

Béatrix n'avait jamais vu quelqu'un devenir aussi pâle que Simon Graves. Il évoquait presque un spectre, et ce n'était pas la colère qui rendait sa voix si dure : c'était la peur.

— C'est grave ? demanda-t-il en se levant et en se détournant.

Tout le monde gardait le silence, la tête baissée. Seuls Lela, Béa et Andrew l'observaient.

— Quel hôpital ? Il est conscient ?

Il s'interrompit, et la réponse qu'il obtint le fit tressaillir.

— Maman, appelle tante Grace et oncle Peter. Dis-leur de te rejoindre à l'hôpital. Je prends le premier avion et j'arrive.

Il raccrocha comme un somnambule et regarda les personnes autour de lui, semblant se demander ce qu'elles faisaient là. Son regard, toujours inexpressif, s'arrêta sur Lela et changea imperceptiblement, dans une tentative de rétablir le contact.

Cet homme était fou de son amie, songea Béa.

— Je suis désolé, dit-il. Mon père a eu une attaque. C'est la seconde. Je dois partir.

Un murmure de sympathie s'éleva. Philip fit le tour de la table et posa la main sur l'épaule de Simon.

— Je vais demander à ma secrétaire de vous réserver une place dans le prochain avion.

— Oui, répondit Simon dont le menton se mit à trembler. Ce serait gentil.

Comme s'il était un invalide, Andrew et Philip le soutinrent pour quitter la pièce. Le cœur chaviré, Béatrix pivota vers Lela dont les yeux brillaient de larmes.

— Mon Dieu, son père… Il l'adore !

— Tu peux l'accompagner. Il a peut-être besoin de ton soutien.

— Non, il ne veut pas de moi.

Béa n'en croyait rien.

— Il t'aime vraiment, Lela. Je l'ai lu dans ses yeux au moment où il t'a vue entrer dans cette pièce.

— Si seulement c'était vrai, soupira Lela en secouant la tête.

Lela dépensa une fortune en taxi depuis l'aéroport de JFK. Ce qui n'était rien comparé à ce qu'elle avait déboursé pour trouver une place de dernière minute dans l'avion. Elle avait eu de la chance que sa carte de crédit n'ait pas été refusée.

Le taxi s'arrêta devant les bâtiments d'un hôpital privé entourés de jardins.

Idiote, se répéta-t-elle pour la centième fois. Simon ne veut pas de toi. Il ne t'aime pas.

Et même s'il l'aimait, il s'agissait de sa famille, et Lela n'avait pas sa place ici.

Elle s'en voulait surtout d'avoir perdu du temps à arpenter l'appartement de Béa en luttant contre son désir de courir vers Simon.

La jeune femme paya le chauffeur et descendit de voiture. Elle était un peu groggy après ce long voyage, et la peur de ce qui l'attendait n'améliorait pas son état. D'autre part, elle n'avait plus un sou et si Simon ne voulait pas d'elle, elle allait devoir rentrer à pied…

Chassant cette pensée, elle referma la portière.

— Bonne chance, lança le chauffeur avec une gentillesse qui lui fit monter les larmes aux yeux.

La gorge nouée, elle se contenta de hocher la tête et s'engagea dans l'allée bordée de fleurs. À l'intérieur, l'hôpital ressemblait plutôt à un hôtel de luxe avec ses murs couverts de patine à l'ancienne et ses dalles de marbre tellement lustrées qu'on y distinguait son reflet. Seule l'odeur d'antiseptique rappelait où l'on se trouvait.

L'infirmière de la réception lui indiqua la direction à suivre.

— Vous ne serez pas autorisée à le voir, précisa-t-elle. Seule la famille proche est admise près de lui.

— Je comprends, répondit Lela.

La salle d'attente était décorée de plantes vertes et d'œuvres d'art moderne. Lela reconnut la mère de Simon, de dos. Elle parlait à un couple aux cheveux blancs. L'oncle et la tante, supposa-t-elle. Simon n'était pas là, et la jeune femme se demanda si son absence facilitait ou pas son intrusion auprès de ces gens.

Dans les toilettes de l'avion, elle s'était rendue le plus présentable possible mais tout à coup, elle se sentit comme négligée. Une intruse. Une orpheline que personne n'avait jamais adoptée.

Arrête ! se reprit-elle, furieuse contre elle-même. Ce n'était pas d'elle qu'il s'agissait. Si les Graves souhaitaient qu'elle reste, elle resterait. S'ils ne le souhaitaient pas, eh bien elle rentrerait chez elle. Fin de l'histoire.

Forte de cette résolution, elle rassembla son courage et s'approcha de la mère de Simon.

Le vieux couple l'aperçut et adressa quelques mots à Tess, qui se retourna aussitôt. Lela retint son souffle en découvrant le visage ravagé de la femme qui l'avait reçue quelques jours plus tôt. Elle semblait étonnée de la voir.

— Lela ? Oh, ma chérie. Comme c'est gentil d'être venue !

— Je suis désolée. Je ne voudrais pas vous importuner.

— Vous plaisantez ?

Et avant que Lela ait compris ce qui lui arrivait, elle était dans les bras de Tess, qui la serra aussi fort que ses bras tremblants le lui permettaient.

— Simon sera très heureux que vous soyez là. Vraiment très heureux.

Elle repoussa Lela pour s'essuyer les joues.

— Excusez-moi. Je sais que Howard est dans un monde meilleur et qu'un jour, nous serons réunis.

— Oh... M. Graves est...

Tess se moucha.

— Seules les machines le maintiennent en vie. Simon est en train de lui dire adieu et ensuite, nous autoriserons les médecins à les arrêter.

Elle sourit à Lela, les yeux brillants comme des diamants.

— Je suis vraiment contente que vous soyez venue. Maintenant, je n'ai plus à m'en faire pour Simon.

Lela regarda ses chaussures.

— Je ne suis pas sûre que Simon veuille toujours me voir.

Tess la surprit en émettant un rire étouffé.

— Nous avons tous deviné ce qu'il ressentait pour vous. Allons, venez vous asseoir, dit-elle en l'entraînant vers des fauteuils vert sombre disposés en cercle. Il ne devrait pas tarder.

Elle rit de nouveau comme un souvenir lui revenait.

— Savez-vous que la nuit où nous l'avons ramené de l'orphelinat à la maison, il a refusé de lâcher la main de mon mari ? Il avait cinq ans. Ses cheveux noirs étaient dressés en brosse sur sa tête, et il avait les plus grands yeux que j'aie jamais vus. Je suppose qu'il craignait que Howard ne disparaisse s'il ne restait pas accroché à lui. J'ai eu un mal fou à le faire dîner et il n'a jamais voulu prendre son bain, ce soir-là ! Mais Howard avait une patience d'ange. Il a gardé la main de Simon dans la sienne jusqu'à ce qu'il tombe de sommeil. Ils s'adoraient, ces deux-là. Ils se sont aimés au premier regard.

— Simon vous aime aussi. Il vous tient en haute estime.

Tess s'essuya les yeux et sourit.

— Oui, mais il était très proche de son père, que Dieu le bénisse. Cela va être dur pour lui. J'espère que vous aurez beaucoup de patience.

— Pour lui, oui.

Tess lui tapota les genoux et Lela comprit que même si Simon ne l'aimait pas vraiment, même s'il avait seulement besoin d'elle, elle serait là pour l'aider à surmonter cette épreuve. Parce qu'elle l'aimait, et si elle pouvait soulager son chagrin, elle le ferait.

Lela avait oublié Andrew, jusqu'à ce qu'elle le voie déboucher au détour du couloir avec un gobelet Starbucks Café.

Il s'immobilisa en la voyant :

— Lela ?

En d'autres circonstances, sa stupeur l'aurait amusée.

— J'ai acheté ça en bas de la rue, continua-t-il comme si elle attendait qu'il lui explique sa présence. Café au lait à la cannelle, ajouta-t-il en lui tendant le gobelet.

— C'est le tien, remarqua-t-elle, consciente des regards intrigués de Tess et des autres.

— Prends-le, insista-t-il. Je n'en ai pas besoin. Je l'ai juste acheté parce que…

— Parce que vous êtes gentil, acheva Tess en volant à son secours.

Elle lui prit le café, qu'elle donna à Lela.

— Pourquoi n'allez-vous pas vous promener au jardin, jeunes gens ? Nous pouvons vous voir d'ici et nous vous appellerons si besoin.

Ils suivirent ce conseil et sortirent sur les pelouses bordées d'azalées et de tulipes. Plus loin, un saule pleureur déployait son ombre mouvante. Andrew et Lela s'y dirigèrent aussitôt.

Le jeune homme s'adossa au tronc et Lela l'observa en songeant qu'il ne ressemblait pas à celui avec qui elle avait fait l'amour plusieurs fois, ni même au bras droit sûr de lui qui secondait Simon. Il avait l'air éteint.

Lela se demanda si Simon ne l'avait pas évincé.

— Je suis content que Tess nous ait suggéré de sortir. Depuis que je t'ai vue à la réunion, j'avais besoin de te parler.

— Vraiment ? jeta-t-elle, nullement disposée à le ménager.

— Oui. Je... veux que tu saches que c'était mon idée d'acheter *Meilleurs Amis*, pas celle de Simon. Je sais qu'il t'aidait pour la boutique de New York, mais jamais il n'a divulgué quoi que ce soit de ce que vous échangiez. Nous faisions nos propres recherches en vue de l'acquisition. Il n'a jamais trahi ta confiance.

— Peut-être. Mais il ne m'a pas dit non plus quels étaient ses projets.

Elle regretta d'avoir répondu cela, pourtant c'était la vérité. Avec un soupir, elle jeta le café intact dans une poubelle. Simon aurait dû lui parler de ses intentions, parce qu'ils étaient amants et parce qu'il savait combien elle était attachée à Béa.

— Si tu avais été à sa place, tu aurais pris le risque de le lui dire ?

— Oui.

Mais c'était un mensonge, et elle constata qu'Andrew n'était pas dupe. Elle se détourna, agacée.

— Et toi ? Tu t'assois à la table de Philip, tu bois et tu manges avec lui, tu couches avec sa belle-fille. Et ensuite, comme l'homme très convenable que tu es, tu te dis : je vais persuader mon patron de prendre le contrôle de leur affaire. Tout ça pour impressionner un homme pour qui tu as le béguin.

— Je n'ai pas le…

— Si ! s'écria Lela en tournant autour de lui. Je l'entends dans ta voix chaque fois que tu prononces son nom. Tu as voulu que je couche avec lui uniquement parce que tu ne pouvais pas le faire toi-même !

Andrew devint cramoisi.

— J'admire Simon Graves, corrigea-t-il. Je l'aime comme le père que je n'ai jamais eu.

Lela sentit sa colère s'évanouir. Elle comprenait mieux que personne le manque provoqué par l'absence d'une famille, ce sentiment de solitude, d'angoisse de n'avoir personne à qui se rattacher. Mais qu'Andrew se mente à lui-même la laissait indifférente. Elle ne pouvait le forcer à faire face à ses sentiments.

— Pourquoi le défends-tu auprès de moi ? se contenta-t-elle de questionner.

— Parce qu'il t'aime.

Pour Andrew, la raison était évidente. Il était prêt à tout pour satisfaire les désirs de Simon, quels qu'ils soient. Sa dévotion était totale et… dangereuse. La différence entre eux était là. Lela n'aurait jamais fait du mal à un ami pour le bénéfice de Simon. Elle l'aimait, certes, mais son amour l'inclinait à devenir meilleure.

— Ne vends pas ton âme à Simon, dit-elle. Il ne souhaiterait pas que tu le fasses.

Andrew la regarda en clignant des yeux. Elle lui tapota le bras en soupirant.

— Je rentre. Je veux attendre Simon.

Il ne la suivit pas et resta à l'ombre de l'arbre, seul. Lela comprit que cette solitude était la pire des punitions, pire que celle qu'elle aurait pu lui infliger. Mais elle n'avait plus beaucoup de place pour lui dans ses pensées.

En longeant le couloir, Lela se demanda comment l'on disait adieu à quelqu'un que l'on aimait depuis l'âge de cinq ans. Jamais elle n'avait connu quelqu'un depuis si longtemps, mis à part les travailleurs sociaux ou les familles qui l'avaient accueillie pour un temps. Mais ses liens avec eux s'étaient rompus.

Et comment dire à un médecin qu'il peut débrancher les fils qui maintiennent son père en vie ?

Au bout du couloir, une porte s'ouvrit. Simon sortit et referma doucement derrière lui, comme si la personne qui se trouvait à l'intérieur pouvait être réveillée par le bruit. Il s'immobilisa, tête baissée, la main sur la poignée. Puis il leva les yeux et les posa sur elle comme s'il savait qu'elle était là. Son nom se forma sur ses lèvres.

Jamais elle n'avait vu de tels cernes sous ses yeux. Jamais elle n'avait été aussi bouleversée. Elle s'approcha de lui car il ne bougeait pas, le prit dans ses bras. Il la serra contre lui à l'étouffer.

— Lela… il est parti.

Elle ne sut que répondre, alors elle le garda contre elle, lui caressa le dos, lui embrassa l'oreille. Lorsqu'il prit ses lèvres, elle ne résista pas. Comment l'aurait-elle pu quand les larmes de Simon coulaient sur leurs visages réunis ?

Tout à coup, il l'écarta de lui et essuya ses joues.

— Tu restes, n'est-ce pas ? demanda-t-il abruptement.

— Oui, je reste.

Il l'observa un instant.

— Lela, j'ai tellement de choses à t'expliquer. À propos de *Meilleurs Amis*, à propos de nous.

Elle sourit en haussant les épaules. Tout cela n'avait plus d'importance. Même si Andrew ne lui avait pas parlé, elle n'aurait pu demeurer en colère contre lui.

— Tu m'as dit que tu m'aimais, Simon. Tu m'as dit de ne pas l'oublier, quoi qu'il arrive. Je ne l'ai pas oublié.

Il scruta son regard.

— Je veux te ramener à la maison, passer la nuit avec toi.

— Tu n'as pas le choix. J'ai dépensé mon dernier billet de banque pour payer le taxi.

Il sourit et saisit son visage entre ses mains.

— Je ne serai peut-être pas de très bonne compagnie.

— Peu importe, mon chéri, du moment que je suis près de toi.

Simon ferma les yeux un instant, puis la prit par la taille.

— Viens, dit-il. Allons prévenir ma mère.

En disant à Lela qu'il voulait passer la nuit avec elle, Simon pensait à son loft, au confort de son lit douillet. L'urgence de la sentir blottie contre lui était irrationnelle dans un moment pareil. Mais il devait rester auprès de sa mère. Il y avait toutes les formalités à remplir, des centaines de personnes à prévenir. La presse également, les membres du conseil d'administration. Oncle Peter et tante Grace étaient adorables, mais ils ne pouvaient se charger de cela.

Ils se rendirent donc dans la maison de ses parents. Une fois arrivé, Simon découvrit qu'il était incapable de se consacrer à Lela. Il ne cessait de penser aux démarches à accomplir. Une sorte d'opacité entourait ses pensées. Au milieu de tout cela, Andrew était comme un roc. Simon avait refusé qu'il s'asseye près de lui dans l'avion. Il lui rappelait trop le faux pas qui lui avait coûté l'amour de Lela. Il l'avait sèchement écarté, refusant de lui parler, mais Andrew ne semblait pas lui en tenir rigueur.

Il ne méritait pas sa gentillesse, ni celle de Lela.

Celle-ci leur apporta des sandwichs dans la bibliothèque où Andrew et lui dressaient la liste des choses à faire. Simon perçut vaguement des bruits et des odeurs de cuisine, un peu plus tard. À un moment, il donna à Lela les clés de sa voiture sans savoir pourquoi puis, lorsqu'elle les invita à les rejoindre pour dîner, il lui obéit, mais il ne sentit même pas le goût de la nourriture. Tout de suite après, il passa une nouvelle série de coups de téléphone.

Il était fatigué de répéter :

— Mon père est mort. Howard Graves, fondateur de Graves Department Stores, est décédé.

Quand il s'arrêta enfin, il était courbaturé comme s'il avait couru un marathon. Il alla embrasser sa mère et prit le chemin de la chambre d'amis où il dormait toujours lorsqu'il rendait visite à ses parents.

Andrew l'intercepta au détour du couloir. Il portait un tee-shirt blanc et un caleçon rouge. Simon et Andrew avaient voyagé de nombreuses fois ensemble, mais tout à coup il trouvait étrange de le voir à moitié dévêtu.

— Tu as besoin de quelque chose ? Tante Grace t'a trouvé une chambre ?

— Oui… je voulais juste… Ta mère va bien ?

— Autant qu'elle puisse aller.

Andrew hocha la tête et se mordit les lèvres. Visiblement, le bien-être de Tess n'était pas sa seule préoccupation.

Simon lui posa une main sur l'épaule.

— Que se passe-t-il ? Qu'est-ce qui te préoccupe ?

— Je… je me demandais si tu voulais ma démission.

— Ta démission ! Mais pourquoi ?

— Pour ma participation dans le rachat.

Simon s'efforça d'éclaircir ses pensées.

— Tu m'as assuré que cette acquisition s'était passée proprement, comme je le souhaitais. C'est bien le cas, n'est-ce pas ?

— Oui.

— Alors je ne veux pas de ta démission.

— Mais Lela…

— Lela n'est pas une enfant. Elle n'a pas besoin d'un bouc émissaire pour justifier mon comportement, et moi non plus.

Andrew semblait toujours aussi abattu. Simon lui tapota l'épaule avec l'étrange impression que Howard aurait eu le même geste.

— J'assume mes choix, Andrew, et mes erreurs aussi. D'autre part, comment voudrais-tu que je me passe de toi ? Tu es mon bras droit. Et mon ami. J'ai besoin de toi.

Andrew hocha la tête en avalant avec peine.

— Je serai toujours là pour toi, Simon. Toujours.

— C'est bien.

Simon le regarda s'éloigner, songeant qu'Andrew aurait besoin de quelqu'un à ses côtés. Il savait que beaucoup de femmes étaient passées dans sa vie, plus ou moins fugitivement, mais aucune ne s'y était attardée bien longtemps.

Il se frotta le front en se disant qu'il pourrait peut-être jouer les entremetteurs, un de ces jours.

Les bleu marine et les verts prédominaient dans la chambre, en hommage à un ancêtre écossais. Une cornemuse était suspendue au mur, mais Lela assise dans le grand lit offrait une vision d'une tout autre beauté. Elle portait une de ses vieilles chemises dont le col était taché d'encre. Dès qu'elle le vit, l'inquiétude assombrit son visage.

— Viens, chéri… viens.

Simon n'aurait osé espérer plus agréable accueil. Il se laissa déshabiller et, à sa grande surprise, il découvrit qu'il la désirait. Il n'aurait jamais cru cela possible dans un moment pareil, et cependant… son sexe était bel et bien dur comme le roc. Pourtant, il était figé sur place, incapable de bouger.

— Tout va bien, murmura-t-elle en le caressant. Laisse-toi faire.

À genoux à ses pieds, elle captura son pénis dans sa bouche. Simon gémit en retrouvant la chaleur de sa langue, de ses lèvres. Un feu ardent ne tarda pas à se propager en lui.

— Viens, dit-il en l'aidant à se relever. Il faut que je t'embrasse.

Dans son impatience, il la saisit à la taille et la souleva. Elle l'enlaça étroitement et tandis qu'un baiser fiévreux les réunissait, il s'aperçut qu'elle était nue sous la chemise. Et mouillée entre les jambes. Il lui empoigna les fesses et Lela émit une petite plainte.

— Prends-moi, Simon. Fais-moi l'amour.

Ces mots agirent sur lui comme une étincelle. Il la renversa sur le lit et la déshabilla à son tour. Son corps nu était comme de la soie et elle le lui offrait en l'implorant de l'explorer. Alors il l'embrassa partout, la lécha, la mordilla. Sa bouche aspira un téton et son doigt disparut entre les replis de son sexe. Elle se cambra. Se savoir capable de lui donner du plaisir le galvanisait.

Il la faisait frémir, gémir, haleter.

— Tu es prête ? s'enquit-il alors qu'il connaissait la réponse.

Il glissa un doigt en elle.

— Oui, dit-elle dans un souffle. Oui…

Il plongea son regard dans le sien, se perdit dans les éclats dorés de ses yeux bleus où il distinguait son reflet. Et pour la première de sa vie, il s'émerveilla de découvrir la signification réelle de l'acte d'amour. Ce n'était pas seulement un plaisir partagé, mais la réunion de deux êtres humains en un seul.

— Prends-moi avec ta main et guide-moi.

Elle lui obéit sans se faire prier et le lâcha dès qu'il fut en elle. Aussitôt, il s'arc-bouta pour la pénétrer complètement. Même une feuille de papier n'aurait pu se glisser entre leurs ventres. Lela replia les jambes autour de ses fesses et l'emprisonna dans cette douce étreinte.

Puis leurs corps se mirent en mouvement, ondoyant, tremblant, tressautant. Peu à peu, l'orgasme de Simon montait, après avoir pris naissance au plus profond de son être. Mais il ne hâtait rien, préférant jouir de chaque instant, et il savait qu'elle partageait ce désir.

— Encore... plus loin... chuchota-t-elle.

Il avait l'impression que son ventre était en feu, et celui de Lela aussi. Ils haletaient d'un même souffle, balancés par la même vague irrésistible.

— Maintenant ? murmura-t-elle.

Il émit un grognement en amplifiant la cadence, et quand elle glissa une main entre eux pour lui pincer un téton, il bascula dans l'extase. Elle le rejoignit une seconde plus tard et ils se noyèrent dans la volupté suprême.

Aussi puissant que fut son plaisir, Simon n'était pas soulagé pour autant. Lela le perçut, alors elle l'entraîna avec elle sur le côté, sans que leurs corps se séparent. Par une série de contractions internes, elle ne tarda pas à redonner vie à son sexe.

Elle eut un sourire triomphant lorsqu'elle le sentit durcir à nouveau.

— Allons-nous rester ainsi toute la nuit ? questionna-t-elle en lui mordillant le cou.

— Toute l'année, répliqua-t-il en resserrant son étreinte.

Il la trouvait extraordinaire. Elle lui avait pardonné, elle l'aimait malgré tout ce qui s'était passé. Et il se demandait comment il aurait pu faire face à la mort de son père, sans elle. Il eut du mal à contenir les émotions qui s'emparèrent de lui.

— Avant de te rencontrer, j'ignorais à quel point j'étais seul.

Elle s'écarta un peu pour le regarder.

— Oh, Simon ! Avant de te rencontrer, j'ignorais à quel point mon cœur était immense. À quel point il pouvait aimer.

Ils reniflèrent tous les deux en même temps, ce qui le fit rire.

— Seigneur ! Quelle paire d'idiots on fait !

Elle lui donna un petit coup de poing sur l'épaule.

— Ce n'est pas idiot, c'est beau. Et ne me dis pas le contraire.

— Non. Je t'aime, Lela.

Émue au-delà des mots, elle se tut et enfouit son visage au creux de son épaule.

— Tu es la famille que je n'ai jamais eue, Simon.

Sachant ce que signifiait cet aveu, il retint son souffle avant de répondre.

— Oui, Lela. Aussi longtemps que tu voudras de moi, je le serai.

Dans la salle de réunion désertée, Philip prit une bouteille de champagne dans le seau à glace. Assise au bord de la table, Béa l'observait avec un demi-sourire qu'il ne lui avait jamais vu et qui le déconcertait. Il avait envie de savoir ce qu'elle pensait.

— Bon, dit-il d'une voix trop forte. Encore un peu de champagne ?

Elle lui caressa le bras.

— Nous avons assez fêté l'événement, non ?

— Oui, admit-il en laissant la bouteille retomber parmi les glaçons. C'est étrange de savoir que je serai toujours là, à faire à peu près la même chose qu'auparavant, alors que tout aura changé. Au bout du compte, le poids des responsabilités ne pèsera pas sur moi.

— Et cela te manquera ?

— Peut-être un peu.

Elle s'approcha, lui prit les mains et les embrassa.

— Tu auras de nouveaux défis à relever, notre expansion à l'intérieur de Graves Department Stores, notamment. Cela ne me déplairait pas de t'y aider, d'ailleurs.

— Je ne suis pas habitué à ce que tu me réconfortes, commenta-t-il en souriant.

— Philip, tu ne dois plus penser à moi comme à quelqu'un dont il faut prendre soin.

— Je sais, mais je crains seulement que tu ne te détaches de moi. Je ne peux pas m'empêcher de penser que je t'ai déçue.

— Déçue ! s'écria-t-elle, sidérée. Philip, tu as pris une décision difficile et tu as agi pour le mieux. En outre, tu as obtenu bien plus de Simon Graves que je ne l'aurais cru possible. Je suis sûre qu'il sera agréablement surpris en découvrant ta valeur et tout ce que tu vas lui apporter.

— Mais…

— Mais rien. Certains sont meilleurs capitaines que généraux. Et ce n'est pas une honte.

— Mais tu n'aurais pas préféré un général ?

Son rire résonna dans la pièce comme une mélodie cristalline.

— Bien sûr que non. Je préfère t'avoir, toi.

Il resta silencieux un moment, songeant qu'il avait souhaité donner une image de lui qu'il croyait correspondre à ce qu'elle attendait. Mais elle l'aimait tel qu'il était.

Son regard s'illumina et il ôta le peigne qui retenait son chignon. Ses boucles ruisselèrent sur ses épaules et il la contempla comme il l'avait toujours rêvée : heureuse, confiante, pleine de vie.

— Béa… dit-il alors, le cœur battant. Est-ce que tu veux m'épouser ?

Elle croisa les mains sur sa poitrine dans un geste de joie spontané.

— Philip !

Il éclata de rire.

— Est-ce que cela veut dire oui ?

Elle jeta les bras autour de son cou.

— Oui, mon capitaine !

Le baiser qui les réunit ne permit pas à Philip de savourer la plaisanterie.

Londres
15

Si le mariage avait eu lieu à Paris, cela aurait été un événement, mais dans la jolie église gothique de Blackheath, il passa inaperçu, si ce n'est pour les habitants du village pittoresque où vivaient les parents de Philip depuis leur retraite. Curieusement, leur accent cockney était demeuré aussi tenace que le brouillard londonien.

Ils avaient accueilli Lela chez eux avec beaucoup de chaleur. Ils s'étaient mis en quatre pour exaucer le moindre de ses désirs, mais malgré leurs efforts et les sourires encourageants de Simon qui ne la quittait pas d'une semelle, elle ne pouvait apaiser sa nervosité.

C'est que Lela Turner n'avait jamais été demoiselle d'honneur. Elle ne s'était jamais tenue dans une église avec des dizaines d'inconnus qui la dévisageaient avec bienveillance, certes, mais tout de même.

Pour se donner du courage, elle se souvint qu'elle était directrice depuis la semaine dernière, une femme à responsabilités, alors ce n'étaient pas quelques regards qui allaient l'impressionner !

Elle respira profondément en lissant la soie jaune pâle de sa robe. Le tissu coulait comme de l'eau sous sa main. Elle n'en revenait pas que Philip ait pu dessiner une merveille pareille, dépourvue de volants, de plissés ou autres froufrous. Elle s'y sentait comme une duchesse. La coupe était à la fois simple, élégante et sexy. Une robe qu'Audrey Hepburn aurait pu porter.

Simon la vit caresser la soie, et elle devina ses pensées sans difficulté. Cet homme devrait dessiner pour Graves, était-il en train de se dire.

Et pourquoi pas ? Avec les encouragements de Simon, Philip pourrait peut-être enfin réaliser son vieux rêve. Et Lela n'avait pas l'intention de laisser qui que ce soit d'autre s'emparer du talent de cet homme. Elle sourit de se sentir aussi possessive. Aujourd'hui, elle gagnait un frère. Une personne de plus à aimer. À choyer.

Enfin, si toutefois Béa se décidait à réapparaître pour rejoindre son futur époux. Ils étaient entrés ensemble dans l'église quand, soudain, Béa était revenue sur ses pas avec une expression angoissée, s'écriant qu'elle avait oublié quelque chose. À présent, le pauvre Philip se rongeait l'ongle du pouce et devenait plus pâle de minute en minute.

— Elle va revenir, l'encouragea Lela, craignant qu'il ne tourne de l'œil.

La sœur aînée de Philip donnait des coups de coude à sa voisine en riant sous cape. Heureusement, personne ne pouvait l'entendre jacasser, grâce à l'orgue qui jouait. Eustace, l'oncle de Philip, sourd comme un pot, chantait si fort qu'on eût dit qu'il avait entrepris de réveiller les anges, là-haut, sur leurs nuages.

Enfin, le miracle se produisit. Béa apparut à l'entrée de l'église au moment où l'oncle Eustace entonnait une version étrangement cadencée de *Jérusalem*. Le silence se fit, et Lela pressa ses mains contre sa poitrine. Béa était si belle. Sous le voile de dentelle irlandaise, son visage rayonnait. Ses joues étaient roses, ses yeux brillaient. Tout le monde se retourna et un murmure admiratif parcourut l'assemblée. Le cœur de Lela se mit à battre la chamade.

Ce moment était plus excitant encore que celui où on lui avait remis les clés de *Meilleurs Amis* à New York. C'était l'aube d'une nouvelle vie.

Béa parvint au bout du tapis rose pâle et regretta, seulement l'espace d'un instant, de ne pas avoir un bras sur lequel s'appuyer. Si elle avait épousé quelqu'un d'autre, Philip l'aurait accompagnée à l'autel. Le vieux M. Carmichael avait gentiment proposé de l'escorter, mais elle avait décliné son offre.

J'y vais seule, avec toute mon âme et tout mon cœur, avait-elle décidé.

Elle arriva devant l'autel dans un chuchotement de satin couleur crème, se sentant bêtement comme Cendrillon rejoignant son prince. Le voir dans son smoking blanc suffit à rendre ses jambes toutes faibles. Puis elle remarqua sa pâleur extrême. Elle n'avait pas voulu lui faire peur, mais elle avait oublié le bouquet de perce-neige d'Andrew. Celui qu'il avait envoyé dans une boîte spéciale réfrigérée, avec un petit mot touchant où il lui demandait de lui pardonner. Philip avait beaucoup de chance, ajoutait-il. Son humilité l'avait surprise et elle regrettait maintenant de ne pas l'avoir invité, bien que Philip n'eût pas indiqué son nom sur sa liste. Quoi qu'il ait fait, Andrew avait été un amant agréable et gentil. Peut-être trouveraient-ils un jour le moyen de redevenir amis ?

Elle agita doucement ses fleurs afin que Philip comprenne la cause de sa disparition.

Derrière elle, au premier rang, Simon Graves sembla lui adresser des remontrances qu'elle ne comprit pas, mais quand elle se retourna, il lui offrit un grand sourire en secouant la tête.

Philip n'était pas aussi calme. Il sortit son mouchoir pour s'essuyer le front. Un éclat de rire parcourut l'assemblée.

— Bien, dit le pasteur. Nous voilà enfin rassemblés en présence de Dieu.

Le reste de la cérémonie fut à l'avenant. Philip, qui ne l'avait jamais appelée autrement que Béa, trébucha sur son nom. Son neveu de six ans fit tomber son alliance, et le marié dut aller la chercher en plein milieu de l'église. Enfin, lorsqu'il donna le baiser nuptial, un baiser très sage, Béa le retint par les revers de sa veste :

— Voyons, Philip, tu peux faire mieux que ça.

Bien sûr qu'il le pouvait. Il la renversa dans ses bras comme un danseur de tango et murmura :

— Je t'aime, Bé… Béa.

— Moi aussi je t'aime, mon amour. Je t'aime pour toujours.

— Pour toujours, répéta-t-il, avant d'éclater de rire.

Ce qui était certainement un excellent départ pour un mariage.

Après les félicitations et les embrassades, les mariés sortirent sur le parvis de l'église, où une surprise les attendait.

Un groupe de journalistes se trouvaient là, micros brandis.

— Bon sang ! s'exclama Philip en levant une main pour se protéger des flashes. Je croyais qu'on leur avait faussé compagnie.

— On dit que Simon Graves et vous avez enterré la hache de guerre, c'est vrai ?

— Comment croyez-vous que votre mère réagirait à ce mariage, mademoiselle Clouet ?

— Sales types, marmonna Philip.

Mais aujourd'hui, rien ne pouvait ternir la joie de Béatrix. Pas quand Philip était à son bras et qu'il venait de lui donner un baiser si prometteur.

Elle lui tapota le bras.

— Tu sais ce que dirait grand-mère Sophie ? « Il vaut mieux être scandaleux qu'ignoré. »

Derrière eux, Simon renchérit.

— L'amour de son bien-aimé vaut toute l'admiration du monde.

Que le très sévère Simon Graves se montre poétique étonna tout le monde. Béa et Lela échangèrent un regard amusé.

— Quoi, c'est vrai, non ? bougonna-t-il en s'empourprant.

Béatrix ne dit rien. Elle était sûre que son amie partagerait bientôt le bonheur qu'elle éprouvait en ce jour unique. Simon lui offrirait le foyer qu'elle n'avait jamais eu.

Elle s'approcha d'elle et lui prit la main avec tendresse.

La perspective des noces de Lela était son plus beau cadeau de mariage.

Découvrez les prochaines nouveautés de nos différentes collections J'ai lu pour elle

Le 6 mai :

Le manuscrit du déshonneur ↜ **Madeline Hunter (n°8959)**

Lorsque Elliot Rothwell sort de prison Phaedra Blair qui a été injustement arrêtée, la jeune fille est loin de se douter qu'il a agi par pur intérêt. Sa liberté a un prix. Elle doit lui promettre de retirer certains passages des Mémoires de son père, qui porteraient atteinte à l'honneur des Rothwell. Corruption, menaces, attirance, lequel des deux cédera le premier ?

Prix Rita Award de la meilleure romance historique 2008.

Par pure provocation ↜ **Lisa Kleypas (n° 8961)**

Excentrique, provocante et irrésistible, Lily a tous les hommes à ses pieds. Mais elle n'en veut aucun, elle préfère sa liberté ! Et ce n'est pas Zachary qui la fera changer d'avis. Amoureux éploré de la soeur de Lily, il passe son temps à se lamenter : Pénélope est déjà fiancée à Alex Raiford, un homme arrogant et dur qui la rendra très malheureuse. Excédée par les plaintes incessantes de Zachary, Lily décide d'épouser elle-même le fameux Alex ! Le problème est donc réglé, mais tout n'est pas si simple...

Le 20 mai :

Captif du passé ↜ **Candice Proctor (n° 6331)**

L'avenir de Jessie semble tout tracé : ses parents l'ont promise, depuis l'enfance à Harrison Tate, l'un des hommes les plus fortunés de Tasmanie. Une rencontre va bouleverser ces projets. D'origine irlandaise, Lucas Gallagher est arrivé en Tasmanie parmi un convoi de bagnards. Il n'a d'autre perspective que de travailler le restant de sa vie au service de ces colons britanniques qu'il hait et méprise. Affecté au service des Corbett, il s'occupe des chevaux, en attendant l'occasion de s'évader... L'arrogance de ce rebelle irrite d'abord Jessie. La virilité de Lucas la trouble plus qu'elle ne veut le reconnaître. Comparé à lui, Harrison semble soudain fade. Mais quel destin aurait-elle auprès de ce paria ?

Nouveau ! 2 rendez-vous mensuels aux alentours du 1er et du 15 de chaque mois.

Le 20 mai :
La saga des Montforte — 3. L'intrépide ☙
Danelle Harmon (n° 8891)
Angleterre, 1777. Lord Andrew Montforte, inventeur de génie surnommé l'Intrépide, assiste à contecoeur au grand bal de charité donné par lady Celsiana Blake. Au détour d'une conversation, elle apprend que lord Andrew pratiquerait des expériences sur les animaux. Furieuse, elle se rend le lendemain à Blackheath Castle. Lord Andrew la conduit jusqu'à son laboratoire où elle ne trouve aucune preuve. En revanche, il lui fait part de sa dernière création : une potion aux vertus aphrodisiaques. Par un concours de circonstances, lady Celsiana goûte la solution et Andrew a beau résister, Celsie réussit à le subjuguer.
Brusquement, la porte s'ouvre. Le duc de Blackheathet lord Somerfield, le demi-frère de Celsiana, apparaissent…

Si vous aimez Aventures & Passions,
laissez-vous tenter par :

Passion intense

Quand l'amour vous plonge dans un monde de sensualité

Le 20 mai :

Flirter avec l'amour ೞ **Amy Garvey (n° 8965)**

Récemment divorcée et de retour dans sa ville natale, Grace revient dans sa ville natale. Au volant de sa fourgonnette, elle percute une voiture de patrouille, au volant de laquelle se trouve Nick Griffin, le meilleur copain de son grand frère. Celui-ci ne tarde pas à prendre conscience qu'il n'a jamais oublié la jeune fille. Seul problème : Nick est aussi sensé et rationnel que Grace est fofolle et lunatique.

Nouveau ! 1 rendez-vous mensuel
aux alentours du 15 de chaque mois.

Et toujours la reine du roman sentimental :

Le 6 mai :

Défi à l'amour (n° 1763) Collect'or

Trahison (n° 3884)

Le 20 mai :

À la conquête de l'amour (n° 5331)

Nouveau ! 2 rendez-vous mensuels
aux alentours du 1er et du 15 de chaque mois.

8926

Composition
CHESTEROC LTD

Achevé d'imprimer en Italie
par GRAFICA VENETA
le 13 mars 2009.

Dépôt légal mars 2009.
EAN 9782290013939

ÉDITIONS J'AI LU
87, quai Panhard-et-Levassor, 75013 Paris

Diffusion France et étranger : Flammarion